Robert Seethaler

Ein ganzes Leben

Roman

Hanser Berlin

14 15 19 18 17 16 15

ISBN 978-3-446-24645-4

Satz: Greiner & Reichel, Köln
Druck und Bindung: CPI – Ebner & Spiegel, Ulm
Printed in Germany

MIX
Papier aus verantwortungsvollen Quellen
FSC® C083411

Ein ganzes Leben

An einem Februarmorgen des Jahres neunzehnhundertdreiunddreißig hob Andreas Egger den sterbenden Ziegenhirten Johannes Kalischka, der von den Talbewohnern nur der Hörnerhannes gerufen wurde, von seinem stark durchfeuchteten und etwas säuerlich riechenden Strohsack, um ihn über den drei Kilometer langen und unter einer dicken Schneeschicht begrabenen Bergpfad ins Dorf hinunterzutragen.

Er hatte den Hörnerhannes aus einer seltsamen Ahnung heraus in seiner Hütte aufgesucht und zusammengekrümmt unter einem Berg von alten Ziegenfellen hinter dem längst erloschenen Ofen gefunden. Abgemagert bis auf die Knochen und gespensterbleich starrte er ihm aus der Dunkelheit entgegen und Egger wusste, dass ihm der Tod bereits hinter der Stirn hockte. Er nahm ihn wie ein Kind auf beide Arme und setzte ihn behutsam auf die mit trockenem Moos ausgelegte Holzkraxe, mit der der Hörnerhannes sein Leben lang das Brennholz und die verletzten Ziegen über die Hänge gebuckelt hatte. Er wickelte einen Viehstrick um seinen Körper, band ihn an das Gestell und zog die Knoten so fest, dass es knackte im Holz. Als er ihn fragte, ob er Schmerzen habe, schüttelte der Hörnerhannes den Kopf und verzog seinen Mund zu einem Grinsen, doch Egger wusste, dass er log.

Die ersten Wochen des Jahres waren ungewöhnlich warm gewesen. In den Tälern war der Schnee geschmolzen und im Dorf war das beständige Tropfen und Plätschern des Tauwassers zu hören. Seit einigen Tagen aber war es wieder eiskalt und der Schnee fiel so unaufhörlich und dicht vom Himmel, dass er die Landschaft mit seiner weichen Allgegenwärtigkeit zu schlucken und alles Leben und jedes Geräusch zu ersticken schien. Auf den ersten paar hundert Metern redete Egger nicht mit dem zittrigen Mann auf seinem Rücken. Er hatte genug damit zu tun, auf den Weg zu achten, der sich vor ihm in steilen Serpentinen den Berg hinunterwand und den er im Schneetreiben nicht viel mehr als erahnen konnte. Hin und wieder spürte er, wie sich der Hörnerhannes regte. »Stirb mir jetzt bloß nicht weg«, sagte er laut vor sich hin, ohne eine Antwort zu erwarten. Doch nachdem er fast eine halbe Stunde hinter sich gebracht hatte, immer nur das eigene Keuchen in den Ohren, kam die Antwort von hinten: »Sterben wär nicht das Schlechteste.«

»Aber nicht auf meinem Buckel!«, sagte Egger und hielt an, um die Lederriemen auf den Schultern zurechtzurücken. Für einen Augenblick horchte er in den lautlos fallenden Schnee hinaus. Die Stille war vollkommen. Es war das Schweigen der Berge, das er so gut kannte und das doch immer noch imstande war, sein Herz mit Angst zu füllen. »Auf meinem Buckel nicht«, wiederholte er und ging weiter. Nach jeder Wegkehre schien der Schnee noch dichter zu fallen, unablässig, weich und ohne jedes Geräusch. Hinten bewegte sich der Hörnerhannes immer seltener, bis er sich schließlich gar nicht mehr rührte und Egger schon mit dem Schlimmsten rechnete.

»Bist du jetzt tot?«, fragte er.

»Nein, du hinkender Teufel!«, kam es mit überraschender Deutlichkeit zurück.

»Ich mein ja nur. Bis ins Dorf musst du es noch aushalten. Dann kannst du machen, was du willst.«

»Und wenn ich es nicht bis ins Dorf aushalten will?«

»Du musst!«, sagte Egger. Er fand jetzt, dass sie genug geredet hatten, und die nächste halbe Stunde kamen sie schweigend voran. Knapp dreihundert Meter Luftlinie über dem Dorf, in Höhe der Geierkante, wo sich die ersten Latschen wie bucklige Zwerge unterm Schnee duckten, kam Egger vom Weg ab, stolperte, setzte sich auf den Hosenboden und rutschte an die zwanzig Meter den Hang hinunter, ehe er von einem mannshohen Findling aufgehalten wurde. Im Schatten des Felsens war es windstill und der Schnee schien hier noch langsamer, noch leiser zu sinken. Egger saß auf dem Hintern, den Rücken leicht gegen die Kraxe gelehnt. Im linken Knie spürte er einen stechenden Schmerz, aber es war auszuhalten und das Bein war ganz geblieben. Der Hörnerhannes rührte sich eine Weile nicht, dann begann er plötzlich zu husten und schließlich zu reden, mit heiserer Stimme und so leise, dass er kaum zu verstehen war: »Wo willst du liegen, Andreas Egger?«

»Was?«

»In welcher Erde willst du begraben sein?«

»Weiß ich nicht«, sagte Egger. Über diese Frage hatte er noch nie nachgedacht, und eigentlich lohnte es sich seiner Meinung nach auch nicht, auf derartige Dinge Zeit und Gedanken zu verschwenden. »Die Erde ist die Erde, und wo man liegt, bleibt sich gleich.«

»Vielleicht bleibt es sich gleich, so wie sich am Ende alles gleich bleibt«, hörte er den Hörnerhannes flüstern. »Aber es wird eine Kälte sein. Eine Kälte, die einem die Knochen zerfrisst. Und die Seele.«

»Auch die Seele?«, fragte Egger, dem plötzlich ein Schauder über das Rückgrat fuhr.

»Vor allem die Seele!«, antwortete der Hörnerhannes. Er hatte jetzt seinen Kopf, so weit es ging, über den Kraxenrand hinausgereckt und starrte gegen die Wand aus Nebel und fallendem Schnee. »Die Seele und die Knochen und den Geist und alles, woran man sein Leben lang gehangen und geglaubt hat. Alles zerfrisst einem die ewige Kälte. So steht es geschrieben, denn so habe ich es gehört. Der Tod gebiert neues Leben, sagen die Leute.

Aber die Leute sind blöder als die blödeste Geiß. Ich sage: Der Tod gebiert gar nichts! Der Tod ist die Kalte Frau.«

»Die … was?«

»Die Kalte Frau«, wiederholte der Hörnerhannes. »Sie geht über den Berg und schleicht durchs Tal. Sie kommt, wann sie will, und holt sich, was sie braucht. Sie hat kein Gesicht und keine Stimme. Die Kalte Frau kommt und nimmt und geht. Das ist alles. Im Vorbeigehen packt sie dich und nimmt dich mit und steckt dich in irgendein Loch. Und im letzten Stück Himmel, das du siehst, bevor sie dich endgültig zuschaufeln, taucht sie noch einmal auf und haucht dich an. Und alles, was dir dann noch bleibt, ist die Dunkelheit. Und die Kälte.«

Egger sah in den Schneehimmel hinauf und hatte für einen Moment Angst, etwas könnte darin auftauchen und ihm ins Gesicht hauchen. »Jesus«, presste er zwischen den Zähnen hervor. »Das ist schlimm.«

»Ja, das ist schlimm«, sagte der Hörnerhannes, seine Stimme klang rau vor Angst. Die beiden Männer rührten sich nicht mehr. Über der Stille lag jetzt das leise Singen des Windes, der über den Felsgrat strich und dünne Schneefähnchen vor sich her stäubte. Plötzlich spürte Egger eine Bewegung, und in der nächsten Sekunde kippte er nach hinten und lag mit dem Rücken im Schnee. Irgendwie hatte es der Hörnerhannes geschafft, die Knoten zu lösen und blitzschnell aus der Kraxe zu klettern.

Nun stand er da, dürr unter seinen Kleiderfetzen und leicht wankend im Wind. Egger schauderte es erneut. »Du steigst jetzt sofort wieder ein«, sagte er. »Du wirst dir sonst noch was holen.«

Der Hörnerhannes verharrte mit nach vorne gerecktem Kopf. Einen Augenblick lang schien er Eggers vom Schnee verschluckten Worten nachzuhorchen. Dann drehte er sich um und begann mit großen Sätzen den Berg hinanzulaufen. Egger rappelte sich auf, rutschte aus, fiel fluchend auf den Rücken zurück, stemmte sich mit beiden Händen vom Boden hoch und kam wieder auf die Beine. »Komm zurück!«, rief er dem mit erstaunlicher Geschwindigkeit davonspringenden Ziegenhirten nach. Doch der Hörnerhannes hörte nicht mehr. Egger streifte die Riemen von seinen Schultern, ließ die Kraxe fallen und rannte ihm nach. Aber schon nach wenigen Metern musste er keuchend anhalten, der Hang an dieser Stelle war zu steil und mit jedem Schritt versank er bis zur Hüfte im Schnee. Vor ihm wurde die dürre Gestalt schnell kleiner, bis sie sich schließlich endgültig aufgelöst hatte im undurchdringlichen Weiß des Schneegestöbers. Egger legte die Hände wie einen Trichter vor den Mund und schrie aus voller Kehle: »Bleib stehen, du blöder Hund! Dem Tod ist noch keiner davongerannt!« Doch vergebens, der Hörnerhannes war verschwunden.

Andreas Egger ging die letzten paar hundert Meter ins Dorf hinunter, um seine tief erschrockene Seele im Wirtshaus Zum goldenen Gamser an einer Schüssel Schmalzkrapfen und einem selbstgebrannten Krauterer zu wärmen. Er suchte sich einen Platz gleich neben dem alten Kachelofen, legte seine Hände auf den Tisch und spürte, wie das warme Blut langsam in die Finger zurückfloss. Das Ofentürchen stand offen, drinnen prasselte das Feuer. Für einen kurzen Moment glaubte er in den Flammen das Gesicht des Ziegenhirten zu erkennen, das reglos zu ihm herausstarrte. Schnell schloss er das Ofenloch und kippte mit zugekniffenen Augen seinen Schnaps hinunter. Als er die Augen wieder öffnete, stand eine junge Frau vor ihm. Sie stand einfach da, die Hände in die Hüften gestützt, und sah ihn an. Ihr Haar war kurz und flachsblond, ihre Haut glänzte rosig in der Ofenwärme. Egger musste an die frischgeborenen Ferkel denken, die er als Bub manchmal aus dem Stroh gehoben und in deren weiche, nach Erde, Milch und Schweinemist duftenden Bäuche er sein Gesicht gedrückt hatte. Er blickte auf seine Hände hinab. Plötzlich kamen sie ihm komisch vor, wie sie da so lagen; schwer, nutzlos und dumm.

»Noch einen?«, fragte die junge Frau und Egger nickte. Sie brachte ein neues Glas, und als sie sich nach vorne beugte, um es auf den Tisch zu stellen, berührte sie mit einer Falte ihrer Bluse seinen Oberarm. Die Berührung war kaum zu spüren, doch hinterließ sie einen feinen Schmerz, der mit jeder Sekunde tiefer in sein Fleisch zu sinken schien. Er sah sie an, und sie lächelte.

Sein Leben lang dachte Andreas Egger immer wieder an diesen Augenblick zurück, an dieses kurze Lächeln an jenem Nachmittag vor dem leise prasselnden Wirtshausofen.

Als er später wieder ins Freie trat, hatte es bereits aufgehört zu schneien. Es war kalt und die Luft war klar. Nebelfetzen krochen die Berge hinauf, deren Spitzen schon im Sonnenlicht leuchteten. Egger ließ das Dorf hinter sich und stapfte durch den tiefen Schnee nach Hause. Am Wildbach tummelten sich wenige Meter unterhalb des alten Holzstegs ein paar Kinder. Sie hatten ihre Schultaschen in den Schnee geworfen und kletterten im Bachbett herum. Einige von ihnen rutschten auf ihren Hintern den gefrorenen Wasserlauf hinunter, während andere auf allen vieren über das Eis krochen und dem leisen Gluckern darunter lauschten. Als sie Egger entdeckten, rotteten sie sich zusammen und begannen zu schreien: »Hinker! Hinker!« Ihre Stimmen klangen hell und klar in der gläsernen Luft, wie die Rufe der jungen Steinadler, die in großer Höhe über dem Tal kreisten und sich die abgestürzten Gämsen aus den Schluchten und die Zicken von der Weide holten. »Hinker! Hinkebein!« Egger stellte die

Kraxe ab, brach ein faustgroßes Stück Eis aus dem überhängenden Bachufer, holte weit aus und schleuderte es in ihre Richtung. Er zielte viel zu hoch und der Eisbrocken flog weit über die Köpfe der Kinder hinweg. Am höchsten Punkt seiner Flugbahn sah es für einen Moment so aus, als würde er einfach dort oben hängen bleiben, ein kleiner, im Sonnenlicht aufblitzender Himmelskörper. Dann stürzte er ab und verschwand lautlos im Schatten der schneeversunkenen Tannen.

***

Drei Monate später saß Egger genau an dieser Stelle auf einem Baumstumpf und beobachtete, wie eine gelbliche Staubwolke den Taleingang verdunkelte, aus der sich gleich darauf der aus zweihundertsechzig Arbeitern, zwölf Maschinisten, vier Ingenieuren, sieben italienischen Köchinnen sowie einer kleineren Anzahl nicht näher zu benennender Hilfskräfte bestehende Bautrupp der Firma Bittermann & Söhne löste und sich dem Dorf näherte. Von weitem sah der Pulk wie eine riesige Viehherde aus, nur mit zusammengekniffenen Augen war hie und da ein hochgereckter Arm oder eine über die Schulter gelegte Spitzhacke zu erkennen. Der Trupp bildete nur die Vorhut einer Kolonne von schweren, mit Maschinen,

Werkzeug, Stahlträgern, Zement und anderen Baumaterialien beladenen Pferdefuhrwerken und Lastwagen, die sich im Schritttempo über die unbefestigte Straße bewegte. Es war das erste Mal, dass im Tal das dumpfe Knattern von Dieselmotoren widerhallte. Die Einheimischen standen schweigend am Straßenrand, bis der alte Stallknecht Joseph Malitzer sich plötzlich seinen Filzhut vom Kopf riss und ihn mit einem Juchzer hoch in die Luft warf. Jetzt begannen auch die anderen zu juchzen, zu johlen und zu schreien. Seit Wochen hatte man den Frühlingsbeginn und mit ihm das Eintreffen des Bautrupps erwartet. Eine Seilbahn würde errichtet werden. Eine mit elektrischem Gleichstrom betriebene Luftseilbahn, in deren lichtblauen Holzwaggons die Menschen den Berg hinaufschweben und den Panoramablick über das ganze Tal genießen würden. Es war ein gewaltiges Vorhaben. Über eine Länge von fast zweitausend Metern würden Drahtseile den Himmel durchschneiden, fünfundzwanzig Millimeter dick und ineinander verschlungen wie Kreuzottern bei der Paarung. Ein Höhenunterschied von tausenddreihundert Metern musste überwunden, Schluchten mussten überbrückt und Felsüberhänge gesprengt werden. Mit der Bahn würde auch die Elektrizität ins Tal kommen. Über sirrende Kabel würde der elektrische Strom heranfließen und die Straßen und Stuben und Ställe würden auch nachts in warmem Licht erstrahlen. An all das und an noch viel mehr dachten die Leute, während sie ihre Hüte warfen und ihre Juchzer in die klare Luft hinausstießen. Egger hätte gerne mitgejubelt, doch aus irgendeinem Grunde blieb er auf seinem Baumstumpf sitzen. Er fühlte sich bedrückt, ohne zu wissen, warum. Vielleicht hatte es mit dem Knattern der Motoren zu tun, mit dem Lärm, der plötzlich das Tal füllte und von dem man nicht wusste, wann er wieder verschwinden würde. Oder ob er überhaupt je wieder verschwinden würde. Eine Weile blieb Egger so sitzen, doch dann hielt er es nicht mehr aus. Er sprang auf, rannte hinunter, stellte sich zu den anderen an den Straßenrand und schrie und jubelte, so laut er konnte.

Als Kind hatte Andreas Egger nie geschrien oder gejubelt. Bis zu seinem ersten Schuljahr hatte er nicht einmal richtig gesprochen. Mit Mühe hatte er sich eine Handvoll Wörter zusammengesammelt, die er in seltenen Momenten in beliebiger Reihenfolge aufsagte. Reden hieß Aufmerksamkeit bekommen, und das wiederum verhieß nichts Gutes. Nachdem er im Sommer neunzehnhundertzwei als kleiner Bub von dem Pferdewagen gehoben wurde, der ihn aus einer Stadt weit jenseits der Berge hergebracht hatte, stand er einfach nur stumm da und staunte mit großen Augen zu den weiß schimmernden Berggipfeln hinauf. Er mochte damals vier Jahre alt gewesen sein, vielleicht auch etwas jünger oder älter. Niemand wusste das so genau und niemand interessierte sich dafür. Am allerwenigsten kümmerte es den Großbauern Hubert Kranzstocker, der den kleinen Egger widerwillig in Empfang nahm und dem Pferdekutscher das lausige Trinkgeld von zwei Groschen und einem harten Brotkanten zusteckte. Der Bub war das einzige Kind einer seiner Schwägerinnen, die ein flatteriges Leben geführt hatte und dafür unlängst vom lieben Gott mit der Schwindsucht gestraft und heimgeholt worden war. Immerhin hing ihm ein lederner Beutel mit einigen Geldscheinen um den Hals. Das war für Kranzstocker Argument genug, ihn nicht gleich zum Teufel zu schicken oder dem Pfarrer vor die Kirchentür zu setzen, was seiner Meinung nach ungefähr auf dasselbe hinauskam. Egger stand nun jedenfalls da und staunte die Berge an. Dieses Bild blieb ihm als einziges von seiner frühen Kindheit, er trug es ein Leben lang mit sich herum. Erinnerungen an die Zeit davor gab es nicht, und auch die Jahre danach, seine ersten Jahre auf dem Kranzstocker-Hof, lösten sich irgendwann im Nebel der Vergangenheit auf.

In seiner nächsten Erinnerung sah er sich als etwa Achtjährigen nackt und dünn über der Ochsenstange hängen. Seine Beine und sein Kopf pendelten knapp über dem nach Pferdeseiche stinkenden Boden, während sein kleiner, weißer Hintern in die Winterluft ragte und

Kranzstockers Hiebe mit der Haselnussgerte empfing. Wie immer hatte der Bauer die Gerte im Wasser gebadet, um sie geschmeidig zu machen. Jetzt zischte sie kurz und hell durch die Luft, bevor sie mit einem seufzenden Geräusch auf Eggers Hinterteil landete. Egger schrie niemals, was den Bauern nur zu härteren Hieben anspornte. Der Mann wurde geformt und gehärtet von Gottes Hand, um sich die Erde und alles, was sich darauf tummelt, untertan zu machen. Der Mann vollzieht Gottes Willen und er spricht Gottes Wort. Der Mann erschafft Leben durch die Kraft seiner Lenden, und er nimmt Leben durch die Kraft seiner Arme. Der Mann ist das Fleisch und er ist der Boden und er ist ein Bauer und heißt Hubert Kranzstocker. Wenn es ihm gefällt, gräbt er seinen Acker um, packt sich eine ausgewachsene Sau auf die Schultern, setzt ein Kind in die Welt oder hängt ein anderes über die Ochsenstange, denn er ist der Mann, das Wort und die Tat. »Herrgottverzeih«, sagte Kranzstocker und ließ die Gerte sausen. »Herrgottverzeih.«

Gründe für diese Züchtigungen gab es genug: verschüttete Milch, verschimmeltes Brot, ein verlorenes Rind oder ein verstottertes Abendgebet. Einmal geriet dem Bauern die Gerte schon beim Schnitzen zu dick oder er hatte vergessen, sie einzuweichen, oder er hatte wütender als sonst zugeschlagen, so genau konnte man das nicht sagen, jedenfalls schlug er zu und irgendwo in dem kleinen Körper knackte es laut und der Bub rührte sich nicht mehr. »Herrgottverzeih«, sagte Kranzstocker und ließ erstaunt seinen Arm sinken. Der kleine Egger wurde ins Haus gebracht, aufs Stroh gelegt und von der Bäuerin mit einem Kübel Wasser und einem Becher warmer Milch wieder ins Leben zurückgeholt. Im rechten Bein war irgendetwas in Unordnung geraten, aber da die Untersuchung in einem Spital zu teuer gewesen wäre, wurde aus dem Nachbarort der Knochenrichter Alois Klammerer geholt. Alois Klammerer war ein freundlicher Mann mit ungewöhnlich kleinen, zartrosa Händen, deren Kraft und Geschicklichkeit jedoch selbst unter den Holzfällern und den Schmiedegesellen legendär war. Vor Jahren war er einmal an den Hof des Großbauern Hirz geholt worden, wo der zu einem bärenstarken Ungetüm ausgewachsene Sohn des Bauern sturzbesoffen durch das Stalldach gebrochen war, sich seit Stunden vor Schmerzen im Hühnerdreck wälzte, unartikulierte Laute ausstieß und sich mit einer Heugabel gegen jeden Zugriff erfolgreich zur Wehr setzte. Alois Klammerer näherte sich ihm mit einem unbekümmerten Lächeln, wich geschickt den Gabelstichen aus, stieß dem Burschen zielgenau zwei Finger in die Nasenlöcher und zwang ihn mit einer einfachen Bewegung in die Knie, um ihm erst seinen Sturschädel und gleich darauf seine ausgerenkten Knochen wieder gerade zu rücken.

Auch den gebrochenen Oberschenkelknochen des kleinen Egger schob der Knochenrichter Alois Klammerer wieder zusammen. Anschließend schiente er das Bein mit ein paar schmalen Holzlatten, schmierte es mit einer Kräutersalbe ein und umwickelte es mit einem dicken Verband. Die nächsten sechs Wochen musste Egger auf einem Strohsack in der Dachkammer verbringen und seine Geschäfte im Liegen über einer alten Rahmschüssel erledigen. Noch viele Jahre später, als er längst ein erwachsener Mann und kräftig genug war, um auf seinem Rücken einen sterbenden Ziegenhirten den Berg hinunterzutragen, dachte Andreas Egger an die Nächte auf dem nach Kräutern, Rattenmist und den eigenen Ausscheidungen stinkenden Dachboden zurück. Von den Dielen spürte er die Wärme der darunterliegenden Stube aufsteigen. Er hörte die Kinder des Bauern, die im Schlaf leise ächzten, Kranzstockers grollendes Schnarchen und die unergründlichen Laute der Bäuerin. Vom Stall drangen die Geräusche der Tiere herüber, ihr Rascheln, Atmen, Mampfen und Schnaufen. Manchmal, wenn er in hellen Nächten nicht einschlafen konnte und der Mond in der kleinen Dachluke erschien, versuchte er sich so gerade wie möglich aufzusetzen, um ihm näher zu sein. Das Mondlicht war freundlich und weich, und wenn er darin seine Zehen betrachtete, sahen sie aus wie kleine, runde Käsestücke.

Als schließlich nach sechs Wochen wieder der Knochenrichter gerufen wurde, um den Verband zu lösen, war das Bein dünn wie ein Hühnerknochen. Außerdem ragte es schief aus der Hüfte heraus und schien insgesamt ein wenig krumm und verdreht geraten zu sein. »Das wächst sich aus, wie alles im Leben«, sagte Klammerer, während er seine Hände in einer Schüssel mit frisch gemolkener Milch badete. Der kleine Egger verbiss die Schmerzen, stieg aus dem Bett, schleppte sich aus dem Haus und noch ein Stück weiter auf die große Hühnerwiese, auf der schon die Primeln und die Gemswurz blühten. Er schlüpfte aus seinem Nachthemd und ließ sich mit ausgestreckten Armen rückwärts ins Gras fallen. Die Sonne schien ihm ins Gesicht, und zum ersten Mal, seit er sich erinnern konnte, dachte er an seine Mutter, von der er längst kein Bild mehr in sich trug. Wie sie wohl gewesen sein mochte? Wie sie wohl dagelegen hatte zum Ende hin? Ganz klein und dünn und weiß? Mit einem einzelnen, zitternden Sonnenfleck auf der Stirn?

Egger kam wieder zu Kräften. Allerdings blieb sein Bein krumm, und fortan musste er sich hinkend durchs Leben bewegen. Es war, als ob sein rechtes Bein immer einen Augenblick länger brauchte als der restliche Körper, als ob es sich vor jedem einzelnen Schritt erst besinnen müsste, ob er eine derartige Anstrengung überhaupt wert wäre.

Andreas Eggers Erinnerungen an die Kindheitsjahre danach waren zerfranst und bruchstückhaft. Einmal sah er, wie sich ein Berg zu bewegen begann. Ein Ruck schien durch die schattenseitige Bergflanke zu gehen und mit einem dunklen Ächzen fing der ganze Hang zu rutschen an. Die Erdmassen rissen die Waldkapelle und ein paar Heuschober mit und begruben die wackeligen Gemäuer des schon vor Jahren aufgegebenen Kernsteiner-Hofes unter sich. Ein Kalb, das man wegen eines offenen Hinterbeines von der Herde abgesondert hatte, wurde mitsamt dem Kirschbaum, an den es gebunden war, hoch in die Luft gehoben, wo es für einen Augenblick über das Tal hinwegglotzte, ehe es vom Geröll überspült und verschluckt wurde. Egger erinnerte sich, dass die Menschen mit offenen Mündern vor ihren Häusern standen und dem Unglück auf der anderen Talseite zusahen. Die Kinder hielten sich an den Händen, die Männer schwiegen, die Frauen weinten und über allem lag das Gemurmel der Alten, die ihre Vaterunser aufsagten. Ein paar Tage danach fand man das Kalb wenige hundert Meter weiter unten, wo es, immer noch an den Kirschbaum gebunden, in einer Bachkehre lag und mit aufgequollenem Bauch und steifen, himmelwärts gerichteten Beinen vom Wasser umspült wurde.

Egger teilte sich mit den Bauernkindern das große Bett in der Schlafstube, was aber nicht bedeutete, dass er auch einer von ihnen war. Während seiner ganzen Zeit auf dem Hof blieb er der Auswärtige, der gerade noch so Geduldete, der Bankert einer gottgestraften Schwägerin, der die bäuerliche Gnade einzig und alleine dem Inhalt eines ledernen Halsbeutels zu verdanken hatte. Im Grunde genommen wurde er nicht als Kind betrachtet. Er war ein Geschöpf, das zu arbeiten, zu beten und seinen Hintern der Haselnussgerte entgegenzustrecken hatte. Einzig die alte Mutter der Bäuerin, die Ahnl, hatte hin und wieder einen warmen Blick oder ein freundliches Wort für ihn übrig. Manchmal legte sie ihm ihre Hand auf den Kopf und murmelte ein kurzes Behütdichgott. Als Egger während der Heumahd von ihrem plötzlichen Tod erfuhr – sie hatte beim Brotbacken das Bewusstsein verloren, war vornübergekippt und mit dem Gesicht im Teig erstickt –, ließ er seine Sense fallen, stieg wortlos bis über die Adlerkante hinweg und suchte sich ein schattiges Plätzchen zum Weinen.

Drei Tage lang wurde die Ahnl in der kleinen Kammer zwischen dem Wohnhaus und den Ställen aufgebahrt. In dem Raum war es stockfinster, die Fenster waren abgedunkelt und die Wände mit schwarzen Tüchern verhängt. Die Hände der Ahnl waren über einem hölzernen Rosenkranz gefaltet, ihr Gesicht wurde von zwei flackernden Kerzen beschienen. Schnell verbreitete sich im ganzen Haus der Verwesungsgeruch, draußen brütete der Sommer und die Hitze drang durch alle Ritzen in die Totenkammer. Als schließlich der von zwei riesigen Haflingern gezogene Totenwagen kam, versammelten sich die Bauersleute ein letztes Mal um die Leiche, um Abschied zu nehmen. Kranzstocker besprengte sie mit Weihwasser und räusperte sich ein paar Worte zusammen: »Die Ahnl ist jetzt gegangen«, sagte er. »Wohin, kann man nicht wissen, aber es wird schon recht sein. Wo was Altes wegstirbt, hat was Neues Platz. So ist es und so wird es immer sein, Amen!« Sie wurde auf den Wagen gehoben und der Leichenzug, an dem sich wie üblich die ganze Dorfgemeinschaft beteiligte, setzte sich langsam in Bewegung. Als sie an der Schmiede vorüberkamen, ging plötzlich die verrußte Tür auf und der Hund des Schmieds schoss ins Freie. Sein Fell war pechschwarz und zwischen seinen Beinen leuchtete sein geschwollenes, knallrotes Geschlechtsteil hervor. Mit heiserem Gebell stürmte er auf das Gespann zu. Der Kutscher zog ihm die Peitsche über den Rücken, doch der Hund schien keinen Schmerz zu spüren. Er sprang eines der Pferde an und verbiss sich in seinen Hinterlauf. Der Haflinger bäumte sich auf und schlug aus. Sein riesiger Huf traf den Kopf des Hundes, es gab ein knackendes Geräusch, der Hund jaulte auf und fiel wie ein Sack auf die Erde. Vorne taumelte das verletzte Pferd zur Seite und drohte das Gespann in den Tauwassergraben zu reißen. Dem

Kutscher, der vom Bock gesprungen und seinen Tieren in die Zügel gefallen war, gelang es, das Gespann auf dem Weg zu halten, doch war hinten der Sarg ins Rutschen gekommen und hatte sich quergestellt. Der Deckel, der für den Transport nur notdürftig verschlossen war und erst am Grab endgültig zugenagelt werden sollte, war aufgesprungen und der Unterarm der Toten erschien im Spalt. In der Dunkelheit der Totenkammer war ihre Hand schneeweiß gewesen, doch hier, im hellen Mittagslicht, erschien sie gelb wie die Blütenblätter der kleinen Bergveilchen, die am schattigen Bachufer blühten und sofort dahinwelkten, sobald sie der Sonne ausgesetzt waren. Das Pferd bäumte sich ein letztes Mal auf, bevor es mit zitternden Flanken stehenblieb. Egger sah, wie die Hand der toten Ahnl aus dem Sarg baumelte, und für einen Moment schien es, als wollte sie ihm zum Abschied zuwinken, ein allerletztes Behütdichgott, für ihn allein bestimmt. Der Deckel wurde geschlossen, der Sarg an seinen Platz gerückt und der Leichenzug konnte seinen Weg fortsetzen. Der Hund blieb auf der Straße zurück, wo er sich auf der Seite liegend in Krämpfen schüttelte, um seine eigene Achse drehte und blind um sich biss. Noch eine ganze Weile war das Klacken seiner Kiefer zu hören, ehe ihn der Schmied mit einem langen Dengeleisen erschlug.

Neunzehnhundertzehn wurde im Dorf eine eigene Schule errichtet und der kleine Egger saß nun jeden Morgen nach der Stallarbeit gemeinsam mit den anderen Kindern in einem nach frischem Teer stinkenden Klassenzimmer, um Lesen, Schreiben und Rechnen zu lernen. Er lernte langsam und wie gegen einen verborgenen, inneren Widerstand, aber mit der Zeit begann sich ein gewisser Sinn aus dem Chaos der Punkte und Striche auf der Schultafel herauszulösen, bis er schließlich so weit war, auch Bücher ohne Bilder zu lesen, was in ihm gewisse Ahnungen, aber auch Ängste betreffend die Welten jenseits des Tales weckte.

Nach dem Tod der beiden jüngsten Kranzstocker-Kinder, die in einer langen Winternacht von der Diphtherie weggerafft worden waren, wurde die Arbeit am Hof noch beschwerlicher, da sie sich auf weniger Arme aufteilte. Andererseits hatte Egger nun mehr Platz im Bett und musste mit den übrig gebliebenen Stiefgeschwistern nicht länger um jeden Brotkanten raufen. Ohnehin kam es zwischen ihm und den anderen Kindern kaum noch zu körperlichen Auseinandersetzungen, und zwar ganz einfach deswegen, weil Egger zu stark geworden war. Es war, als ob die Natur seit der Sache mit dem zerschlagenen Bein an ihm etwas gutzumachen versuchte. Mit dreizehn Jahren hatte er die Muskeln eines jungen Mannes und mit vierzehn wuchtete er zum ersten Mal einen Sechzigkilosack durch die Luke auf den Getreideboden. Er war stark, aber langsam. Er dachte langsam, sprach langsam und ging langsam, doch jeder Gedanke, jedes Wort und jeder Schritt hinterließen ihre Spuren, und zwar genau da, wo solche Spuren seiner Meinung nach hingehörten.

Einen Tag nach Eggers achtzehntem Geburtstag (da über seine Geburt keine genaueren Informationen einzuholen waren, hatte der Bürgermeister einfach irgendein beliebiges Sommerdatum, nämlich den fünfzehnten August achtzehnhundertachtundneunzig, als Geburtstag angesetzt und eine entsprechende Urkunde ausstellen lassen) passierte es, dass ihm beim Abendbrot die tönerne Schüssel mit der Milchsuppe aus den Händen rutschte und mit einem dumpfen Knall zerbarst. Die Suppe mit dem gerade erst eingebrockten Brot ergoss sich über den Dielenboden, und Kranzstocker, der seine Hände schon zum Tischgebet gefaltet hatte, stand langsam auf. »Hol den Haselnusser und leg ihn ins Wasser!«, sagte er. »Wir treffen uns in einer halben Stund!«

Egger holte die Gerte von ihrem Haken, legte sie draußen in die Viehtränke, setzte sich auf die Ochsenstange und ließ die Beine baumeln. Nach einer halben Stunde erschien der Bauer. »Den Haslinger her!«, sagte er.

Egger sprang von der Stange und nahm die Gerte aus

dem Trog. Kranzstocker ließ sie durch die Luft zischen. Sie bog sich geschmeidig in seiner Hand und zog einen Schleier aus zart glitzernden Wassertropfen hinter sich her.

»Hosen runter!«, befahl der Bauer. Egger verschränkte die Hände vor der Brust und schüttelte den Kopf.

»Da schau her, der Bankert will dem Bauern widersprechen«, sagte Kranzstocker.

»Ich will meine Ruhe, sonst nichts«, sagte Egger. Der Bauer schob den Unterkiefer nach vorne. Zwischen seinen Bartstoppeln klebten trockene Milchreste. An seinem Hals pulsierte eine lange, geschwungene Ader. Er trat einen Schritt nach vorne und hob den Arm.

»Wenn du mich schlagst, bring ich dich um!«, sagte Egger und der Bauer verharrte mitten in der Bewegung.

Wenn Egger in seinem späteren Leben an diesen Augenblick zurückdachte, kam es ihm vor, als hätten sie sich damals den ganzen Abend so gegenübergestanden: er mit seinen vor der Brust verschränkten Armen, der Bauer mit der Haselnussgerte in der erhobenen Faust, beide schweigend und mit dem kalten Hass in den Blicken. In Wirklichkeit waren es höchstens ein paar Sekunden. An der Gerte lief langsam ein Wassertropfen hinunter, löste sich mit einem Zittern und fiel auf die Erde. Aus dem Stall drang das gedämpfte Mampfen der Kühe. Im

Haus lachte eins der Kinder auf, dann war es wieder still auf dem Hof.

Kranzstocker ließ den Arm sinken. »Schleich dich jetzt«, sagte er mit tonloser Stimme, und Egger ging.

***

Andreas Egger galt zwar als Krüppel, aber er war stark. Er konnte anpacken, verlangte wenig, redete kaum und vertrug die Sonnenhitze auf den Feldern genauso wie die beißende Kälte im Wald. Er nahm jede Arbeit an und erledigte sie zuverlässig und ohne zu murren. Er konnte mit der Sense umgehen wie mit der Heugabel. Er wendete das frisch gemähte Gras, belud Fuhrwerke mit Mist und schleppte Steine und Strohgarben von den Feldern. Er kroch wie ein Käfer über den Acker und stieg zwischen den Felsen dem verirrten Vieh hinterher. Er wusste, welches Holz in welche Richtung zu schlagen, wie der Keil zu setzen, die Säge zu feilen und die Axt zu schleifen war. Ins Wirtshaus ging er selten und mehr als eine Mahlzeit und ein Glas Bier oder einen Krauterer gönnte er sich nie. Er verbrachte kaum eine Nacht im Bett, meistens schlief er im Heu, auf Dachböden, in Kammern und Ställen neben dem Vieh. Manchmal, in lauen Sommernächten, breitete er irgendwo auf einer frisch gemähten Wiese eine Decke aus, legte sich auf den Rücken und blickte zum Sternenhimmel hinauf. Dann dachte er an seine Zukunft, die sich so unendlich weit vor ihm ausbreitete, gerade weil er nichts von ihr erwartete. Und manchmal, wenn er lange genug so dalag, hatte er das Gefühl, die Erde unter seinem Rücken würde sich ganz sachte heben und senken, und in diesen Momenten wusste er, dass die Berge atmeten.

Mit neunundzwanzig Jahren hatte Egger genug Geld beisammen, um die Pacht für ein kleines Grundstück mitsamt Heuschober aufzubringen. Der Flecken lag knapp unterhalb der Baumgrenze, etwa fünfhundert Meter Luftlinie über dem Dorf, und war nur über den schmalen Steig zur Almerspitze zu erreichen. Er war praktisch wertlos, steil und karg, übersät von unzähligen Findlingen und kaum größer als die Hühnerwiese hinterm Kranzstocker-Hof. Doch ganz in der Nähe sprang eine kleine Quelle mit klarem, eiskaltem Wasser aus dem Fels und morgens stand die Sonne schon eine halbe Stunde früher als im Dorf am Bergkamm und wärmte die Erde unter Eggers nachtklammen Füßen. Er schlug ein paar Bäume im umliegenden Wald, bearbeitete sie noch an Ort und Stelle und schleppte die Balken zu seinem Heuschober, um die windschiefen Wände zu stützen. Für das Fundament hob er einen Graben aus und füllte ihn mit den Steinen von seinem Grundstück, die kaum weniger zu werden und jede Nacht aufs Neue aus dem staubtrockenen Boden zu wachsen schienen. Er sammelte die Steine, und weil ihm dabei langweilig wurde, gab er ihnen Namen. Und als ihm die Namen ausgingen, gab er ihnen Worte. Und als ihm irgendwann klar wurde, dass es auf seinem Grund und Boden mehr Steine gab, als er Worte kannte, begann er eben von vorne. Er brauchte keinen Pflug und kein Vieh. Sein Land war zu klein für eine eigene Wirtschaft, aber groß genug für einen winzigen Gemüsegarten. Ganz zum Schluss zog er einen niedrigen Zaun um sein neues Heim und baute ein Gattertürchen, und zwar ausschließlich zu dem Zweck, es irgendwann einmal einem eventuell vorbeikommenden Besucher aufhalten zu können.

Alles in allem war es eine gute Zeit, Egger war zufrieden und für seinen Geschmack hätte es immer so weitergehen können. Doch dann passierte die Geschichte mit dem Hörnerhannes. Obwohl er nach seinem Verständnis von Schuld und Gerechtigkeit nichts für das Verschwinden des Ziegenhirten konnte, hatte Egger niemandem von den Geschehnissen im dichten Schneetreiben erzählt. Der Hörnerhannes galt als tot, und auch wenn seine Leiche nie gefunden wurde, zweifelte selbst Egger keinen Augenblick daran. Doch das Bild der dürren Gestalt, die sich vor seinen Augen langsam im Nebel auflöste, konnte er nicht mehr vergessen.

Aber noch etwas anderes trug Egger seit jenem Tag unauslöschlich in seinem Inneren: einen Schmerz, der nach einer kurzen Berührung mit einer Stofffalte in das Fleisch seines Oberarms, seiner Schulter, seiner Brust gesunken war und sich schließlich irgendwo in Höhe des Herzens festgesetzt hatte. Es war ein ganz feiner Schmerz, und doch war er tiefer als alle anderen Schmerzen, die Egger in seinem bisherigen Leben kennengelernt hatte, Kranzstockers Schläge mit der Haselnussgerte miteingerechnet.

Sie hieß Marie und Egger fand, es war der schönste Name der Welt. Vor ein paar Monaten war sie im Tal aufgetaucht, auf Arbeitssuche, mit durchgetretenen Schuhen und staubigen Haaren. Da traf es sich gut, dass der Wirt erst wenige Tage zuvor seine Magd wegen unvorhergesehener Schwangerschaft zum Teufel gejagt hatte. »Zeig deine Händ!«, sagte er zu Marie. Mit einem zufriedenen Nicken betrachtete er die Schwielen an ihren Fingern und bot ihr die freie Stelle an. Ab sofort bediente sie die Gäste und machte die Betten in den wenigen Zimmern, die für die Saisonarbeiter eingerichtet waren. Sie übernahm die Verantwortung für die Hühner, half im Garten, in der Küche, beim Schlachten und beim Ausschöpfen des Gästeklos. Sie beschwerte sich nie und war weder eitel noch zimperlich. »Lass die Finger von ihr!«, sagte der Wirt und stach Egger seinen vom frisch ausgelassenen Schweineschmalz glänzenden Zeigefinger gegen die Brust. »Die Marie ist eine für die Arbeit und keine für die Liebe, verstanden?«

»Verstanden«, sagte Egger und spürte wieder den feinen Schmerz in seiner Herzgegend. Vor Gott gibt es keine Lügen, dachte er, vor einem Wirt schon.

Er passte sie am Sonntag nach der Kirche ab. Sie trug ein weißes Kleid und ein weißes Hütchen auf dem Kopf. Obwohl dieses Hütchen wirklich hübsch aussah, fand Egger, dass es vielleicht ein bisschen zu klein geraten war. Er musste an die Wurzelstöcke denken, die an manchen Stellen dunkel aus dem Waldboden ragten und an denen hin und wieder wie durch ein Wunder eine einzelne, weiße Lilie blühte. Vielleicht war das Hütchen aber auch genau richtig, Egger wusste es nicht. Er hatte keine Ahnung von diesen Dingen. Seine Erfahrungen mit Frauen beschränkten sich auf die Gottesdienste, bei denen er in der hintersten Reihe der Kapelle saß, ihrem hellen Gesang lauschte und fast betäubt war vom Sonntagsduft ihrer mit Seife gewaschenen und mit Lavendel eingeriebenen Haare.

»Ich möchte …«, sagte er mit rauer Stimme und brach mitten im Satz ab, da ihm plötzlich entfallen war, was er eigentlich hatte sagen wollen. Eine Weile standen sie im Schatten der Kapelle und schwiegen. Sie sah müde aus. Ihr Gesicht wirkte, als ob immer noch etwas vom Dämmerlicht des Kirchenraumes auf ihm läge. An ihrer linken Augenbraue hing eine winzige, gelbe Blütenpolle und zitterte im leichten Wind. Plötzlich lächelte sie ihn an. »Jetzt ist es auf einmal kühl geworden«, sagte sie. »Wir könnten vielleicht noch ein bisserl in die Sonne gehen.«

Sie gingen nebeneinander auf dem Waldweg, der sich hinter der Kapelle zum Harzerkogel hinaufwand. Im Gras rieselte ein kleiner Bach und über ihnen rauschten die Baumkronen. Überall im Unterholz war das Gezwitscher der Rotkehlchen zu hören, doch kaum kamen sie ihnen zu nahe, wurde es still. An einer Lichtung machten sie halt. Hoch über ihren Köpfen stand reglos ein Falke. Plötzlich schlug er mit den Flügeln und kippte seitlich weg. Er schien einfach vom Himmel zu fallen und verschwand aus ihrem Blickfeld. Marie pflückte ein paar Blumen und Egger schleuderte einen kopfgroßen Stein ins Unterholz, gerade nur so, weil er Lust hatte und die Kraft dafür. Als sie auf dem Rückweg einen morschen Steg überquerten, fasste sie ihn am Unterarm. Ihre Hand war rau und warm wie ein von der Sonne beschienenes Stück Holz. Egger hätte sie sich gerne an seine Wange gelegt und wäre einfach so stehen geblieben. Stattdessen machte er einen großen Schritt und ging schnell weiter. »Pass bloß auf«, sagte er, ohne sich nach ihr umzudrehen. »Auf dem Boden verdreht man sich ganz leicht die Knochen!«

Sie trafen sich jeden Sonntag, später manchmal auch während der Woche. Seit sie als kleines Kind beim Klettern über ein wackeliges Holzgatter in den Schweinekoben gestürzt war und von einer erschrockenen Muttersau gebissen wurde, trug sie quer über den Nacken eine etwa zwanzig Zentimeter lange, leuchtend rote Narbe in Form einer Mondsichel. Egger störte das nicht. Narben sind wie Jahre, meinte er, da kommt eines zum anderen und alles zusammen macht erst einen Menschen aus. Marie wiederum störte sich nicht an seinem schiefen Bein. Zumindest sagte sie nichts. Sie erwähnte sein Hinken niemals, mit keinem Wort. Überhaupt redeten die beiden wenig. Sie gingen nebeneinander her und beobachteten ihre eigenen Schatten vor ihnen auf der Erde oder sie saßen irgendwo auf einem Stein und blickten übers Tal.

An einem Nachmittag Ende August führte er sie zu seinem Grundstück. Er bückte sich, öffnete das Gattertürchen und überließ ihr den Vortritt. Die Hütte werde er noch anstreichen müssen, meinte er, der Wind und die Feuchtigkeit fräßen sich nämlich durchs Holz, so schnell könne man gar nicht schauen, und dann sei es vorbei mit der Gemütlichkeit. Dort drüben habe er ein bisschen Gemüse angepflanzt, der Sellerie zum Beispiel wachse einem ja praktisch schon über den Kopf. Die Sonne scheine nämlich hier oben heller als unten im Tal. Das tue nicht nur den Pflanzen gut, sondern wärme einem auch die Knochen und das Gemüt. Und natürlich dürfe man den Blick nicht vergessen, sagte Egger und beschrieb einen weiten Bogen mit dem Arm, über die ganze Gegend ginge der und bei schönem Wetter sogar noch darüber hinaus. Auch drinnen wolle er streichen, erklärte er ihr, und zwar mit Maurerfarbe. Natürlich müsse man die Farbe statt mit Wasser mit frischer Milch anrühren, wegen der Haltbarkeit. Und die Küche werde man vielleicht noch richtig einrichten müssen, aber immerhin sei ja das Notwendigste schon da, Töpfe, Teller, Besteck und solche Sachen, und bei Gelegenheit werde er auch noch die Pfannen schmirgeln. Einen Stall werde er übrigens nicht brauchen, denn für Vieh gebe es weder den Platz noch die Zeit, schließlich wolle er kein Bauer sein. Bauer sein bedeute nämlich: ein Leben lang auf seiner Scholle herumkriechen und mit gesenktem Blick in der Erde wühlen. Ein Mann nach seinem Geschmack aber müsse den Blick heben, auf dass er möglichst weit hinwegschaue über sein eigenes, eng begrenztes Fleckchen Erde.

Später in seinem Leben konnte sich Egger nicht erinnern, jemals so viel geredet zu haben wie damals während Maries erstem Besuch auf seinem Grundstück. Die Worte purzelten nur so aus ihm heraus und er hörte ihnen erstaunt dabei zu, wie sie sich scheinbar von ganz alleine aneinanderreihten und zusammen einen Sinn ergaben, der ihm selbst erst, nachdem er sie ausgesprochen hatte, überraschend klar vor Augen trat.

Als sie den schmalen Serpentinenweg ins Tal hinabstiegen, schwieg Egger wieder. Er kam sich komisch vor und schämte sich ein wenig, ohne zu wissen, wofür. An einer Wegkehre machten sie Rast. Sie setzten sich ins Gras und lehnten ihre Rücken an den Stamm einer umgestürzten Rotbuche. Das Holz hatte die Wärme der letzten Sommertage gespeichert und duftete nach trockenem Moos und Harz. Um sie herum ragten die Berggipfel in den klaren Himmel. Marie fand, dass sie aussahen wie aus Porzellan, und obwohl Egger in seinem ganzen Leben noch kein Porzellan gesehen hatte, gab er ihr recht. Da müsse man beim Gehen vorsichtig sein, meinte er, ein falscher Schritt, und die ganze Landschaft bekäme einen Riss oder zerspränge gleich in unzählige, winzige Landschaftssplitter. Marie lachte. »Das hört sich lustig an«, sagte sie.

»Ja«, sagte Egger. Dann senkte er den Kopf und wusste nicht mehr weiter. Er wäre gerne aufgestanden, hätte einen Felsen gepackt und ihn irgendwohin geschleudert. Möglichst hoch und weit. Doch da spürte er plötzlich ihre Schulter an seiner Schulter. Er hob den Kopf und sagte: »Jetzt halt ich es nicht mehr aus!« Er drehte sich zu ihr, nahm ihr Gesicht in beide Hände und küsste sie.

»Oje«, sagte sie. »Du hast eine Kraft!«

»Entschuldigung!«, sagte er und zog erschrocken seine Hände zurück.

»Schön war es trotzdem«, sagte sie.

»Obwohl es weh getan hat?«

»Ja«, sagte sie. »Sehr schön.«

Er nahm ihr Gesicht noch einmal zwischen seine Hände, und zwar diesmal so behutsam, wie man ein Hühnerei oder ein frisch geschlüpftes Küken anfasst.

»So ist es gut«, sagte sie und schloss die Augen.

Am liebsten hätte er noch am selben, spätestens aber am darauffolgenden Tag um ihre Hand angehalten. Aber er hatte keine Ahnung, wie er das anstellen sollte. Nächtelang saß er auf der selbstgezimmerten Schwelle seines Hauses und starrte auf das vom Mond beschienene Gras zu seinen Füßen, während seine Gedanken um seine eigenen Unzulänglichkeiten kreisten. Er war kein Bauer und wollte keiner sein. Er war aber auch kein Handwerker, kein Waldarbeiter oder Almhirt. Um ehrlich zu sein, verdiente er sein Brot als eine Art Handlanger, als Mietknecht für alle Saisonen und Gelegenheiten. So ein Mann taugte so ziemlich für alles, nur nicht zum Ehemann. Die Frauen erwarteten mehr von einem Zukünftigen, so viel glaubte Egger schon von ihnen zu verstehen. Ginge es nach ihm, würde er für den Rest seines Lebens an irgendeinem Wegrand sitzen, Hand in Hand mit Marie, an einen harzigen Baumstamm gelehnt. Aber jetzt ging es eben nicht mehr nur nach ihm. Er kannte seine Aufgaben in dieser Welt. Er wollte Marie beschützen und für sie sorgen. Ein Mann müsse den Blick heben, auf dass er möglichst weit hinwegschaue über sein eigenes Fleckchen Erde, hatte er ihr gesagt. Und so wollte er es auch halten.

Egger suchte das Lager der Firma Bittermann & Söhne auf, das sich mittlerweile über die komplette Hangwiese auf der anderen Talseite ausgebreitet hatte und mehr Bewohner zählte als das Dorf selbst. Er fragte sich zur Baracke des für die Einstellung neuer Arbeiter zuständigen Prokuristen durch und betrat ungewohnt zaghaft dessen Büro, da er fürchtete, seine groben Stiefel könnten den Teppich beschädigen, der sich fast über den ganzen Boden ausbreitete und seine Schritte dämpfte, als ginge er auf Moos. Der Prokurist war ein schwerer Mann mit einer vernarbten, von einem kurzgeschorenen Haarkranz umrahmten Glatze. Er saß hinter einem Schreibtisch aus schwarzem Holz und trug trotz der Wärme im Raum eine mit Schafpelz gefütterte Lederjacke. Er saß tief über einen Aktenstapel gebeugt und schien Eggers Eintreten nicht bemerkt zu haben. Doch gerade als Egger mit irgendeinem Geräusch auf sich aufmerksam machen wollte, hob er unvermutet den Kopf.

»Du hinkst«, sagte er. »So einen können wir nicht gebrauchen.«

»Es gibt in der Gegend keinen besseren Arbeiter als mich«, antwortete Egger. »Ich bin stark. Ich kann alles. Ich mache alles.«

»Aber du hinkst.«

»Im Tal vielleicht«, sagte Egger. »Am Berg bin ich der Einzige, der gerade geht.«

Der Prokurist lehnte sich langsam zurück. Ein Schweigen lag im Raum, das sich wie ein dunkler Schleier über Eggers Herz legte. Er starrte gegen die weiß getünchte Wand und für einen Moment wusste er nicht mehr, warum er überhaupt hierhergekommen war. Der Prokurist seufzte. Er hob seine Hand und machte eine Geste, als wollte er Egger aus seinem Blickfeld wischen. Dann sagte er: »Willkommen bei Bittermann & Söhne. Kein Alkohol, keine Hurereien, keine Gewerkschaften. Arbeitsbeginn morgen früh halb sechs!«

Egger half beim Holzschlagen und beim Errichten der mächtigen Eisenträger, die sich im Abstand von fünfzig Metern entlang einer schnurgeraden Linie immer weiter den Berg hinanfädelten und von denen jeder einzelne das höchste Gebäude des Dorfes, die Gemeindekapelle, noch um einige Meter überragte. Er schleppte Eisen, Holz und Zement die Hänge hinauf und wieder hinunter. Er hob Fundamentgruben aus dem Waldboden und bohrte armdicke Löcher in den Felsen, in die der Sprengmeister seine Dynamitstangen steckte. Während der Sprengungen hockte er gemeinsam mit den anderen im Sicherheitsabstand auf den Baumstämmen, die links und rechts der breit geschlagenen Schneise lagen. Sie hielten sich die Ohren zu und spürten unter ihren Hintern, wie die Detonationen den Berg erzittern ließen. Da er die Gegend kannte wie kaum jemand sonst und zudem völlig schwindelfrei war, wurde er zumeist vorangeschickt und war der Erste an der Bohrstelle. Er stieg im Geröll umher, kletterte zwischen den Felsen und hing, nur durch ein dünnes Seil gesichert, in den Steilwänden, den Blick auf die Staubwölkchen seines Steinbohrers direkt vor seinem Gesicht gerichtet. Egger mochte die Arbeit im Fels. Hier oben war die Luft kühl und klar und manchmal hörte er den Steinadler kreischen oder sah seinen Schatten lautlos über die Wand gleiten. Er dachte oft an Marie. An ihre warme, raue Hand und an ihre Narbe, deren geschwungene Form er immer wieder im Geiste nachzeichnete.

Im Herbst wurde Egger von Ruhelosigkeit gepackt. Er sah nun endgültig die Zeit gekommen, um Maries Hand anzuhalten, aber immer noch hatte er keine Ahnung, wie er das anstellen sollte. Abends saß er auf seiner Türschwelle und gab sich diffusen Vorstellungen und Träumen hin. Natürlich, dachte er bei sich, konnte sein Antrag nicht einfach nur irgendein Antrag sein. Es musste einer sein, der gewissermaßen die Größe seiner Liebe in sich trug und sich für immer in Maries Gedächtnis und Herz einbrennen würde. Er dachte an etwas Schriftliches, doch schrieb er noch viel seltener, als er redete, also praktisch nie. Darüber hinaus gab seiner Meinung nach so ein Brief nicht gerade viel her. Wie sollten alle seine Gedanken und Gefühle in ihrer gesamten Fülle auf einen einzigen Zettel passen? Am liebsten hätte er seine Liebe in den Berg hineingeschrieben, riesengroß und weithin sichtbar für jedermann im Tal. Er erzählte seinem Kollegen Thomas Mattl, mit dem er am Rande der Waldschneise widerspenstige Wurzelstöcke aus der Erde riss, von dem Problem. Mattl war ein erfahrener Holzhauer und einer der ältesten Mitarbeiter der Firma. Seit fast dreißig Jahren zog er mit wechselnden Trupps durch die Bergregionen, um im Namen des Fortschrittes die Wälder zu roden und Eisengerüste oder Betonpfeiler in den Boden zu pflanzen. Trotz seines Alters und der Schmerzen, die sich, wie er meinte, in seinem Kreuz festgebissen hatten wie ein Rudel wütender Hunde, bewegte er sich im Unterholz leichtfüßig und behände. Vielleicht gebe es ja tatsächlich eine Möglichkeit, etwas in den Berg hineinzuschreiben, meinte Mattl und fuhr sich mit der Hand über sein bärtiges Gesicht, und zwar mit der Tinte des Teufels: dem Feuer. In seiner Jugend hatte er ein paar Sommer lang in nördlichen Regionen für den Brückenbau geholzt und dabei den alten Brauch der Herz-Jesu-Feuer miterlebt, bei dem zur Sonnenwende riesige Feuerbilder entzündet wurden und nachts den Berg erleuchteten. Wenn man mit Feuer malen könne, meinte er, so könne man damit auch schreiben. Zum Beispiel eine Art Antrag an diese Marie. Drei, vier Worte, mehr dürften es natürlich nicht sein, mehr wäre ja auch gar nicht machbar. *Willst du mich haben?* oder *Komm, süßes Herz* – irgendetwas, was die Weiber halt gerne hörten.

»So könnte es gehen«, setzte Mattl gedankenverloren hinzu. Dann griff er mit einer Hand hinter seinen Kopf und holte ein dünnes Knospenästchen hervor, das sich in seinem Kragen verfangen hatte. Er biss hintereinander die kleinen, weißen Knospen ab und lutschte sie wie Karamellbonbons.

»Ja«, nickte Egger. »So könnte es gehen.«

Zwei Wochen darauf, am späten Nachmittag des ersten Oktobersonntags, stiegen siebzehn der zuverlässigsten Männer aus Eggers Trupp im Geröll oberhalb der Adlerkante herum, um unter Mattls heiser gebrüllten Anweisungen zweihundertfünfzig anderthalb Kilogramm schwere, mit Sägespänen gefüllte und mit Petroleum getränkte Leinensäckchen im Abstand von etwa zwei Metern entlang einer mit Hanfseilen vorgezeichneten Linie auszulegen. Egger hatte die Männer einige Tage zuvor nach Feierabend im Kantinenzelt versammelt, um ihnen seine Pläne zu erläutern und sie zum Mitwirken zu überreden: »Ihr kriegt siebzig Groschen und einen Viertelliter Krauterer«, sagte er und ließ seinen Blick über die schmutzigen Gesichter der Männer schweifen. In den letzten Wochen hatte er sich das Geld vom Lohn abgespart, die Münzen in einer kleinen Kerzenkiste gesammelt und in einem Erdloch unter seiner Türschwelle deponiert.

»Wir wollen achtzig Groschen und einen halben Liter!«, sagte ein schwarzhaariger Maschinenschlosser, der erst vor ein paar Wochen aus der Lombardei zur Firma gestoßen war und sich dank seines dampfkesselartigen Temperaments schnell eine gewisse Autorität im Trupp erarbeitet hatte.

»Neunzig Groschen und keinen Krauterer«, gab Egger zurück.

»Der Krauterer muss sein.«

»Sechzig Groschen und ein halber Liter.«

»Abgemacht!«, schrie der Schwarzhaarige und ließ zur Bekräftigung des Handels seine Faust auf den Tisch krachen.

Thomas Mattl saß die meiste Zeit über auf einem Felsvorsprung und kontrollierte die Bewegungen der Männer. Auf keinen Fall durften die Säckchen weiter als zwei Meter auseinanderliegen, da sonst Lücken im Schriftbild entstünden. »Die Liebe darf nicht an einem löchrigen Buchstaben vergehen, du Trottel!«, schrie er und schleuderte einen faustgroßen Stein in die Richtung eines jungen Gerüstbauers, dessen Abstände etwas zu groß geraten waren.

Pünktlich zum Sonnenuntergang waren alle Säcke ausgelegt. Die Nacht senkte sich über die Berge und Mattl kroch von seinem Felsen hinab zum ersten Säckchen des ersten Buchstabens. Er überblickte den Hang, wo sich die Männer gleichmäßig verteilt hatten. Dann klopfte er sich den Staub von der Hose, kramte eine Schachtel Zündhölzer aus der Hosentasche und entzündete damit einen mit Petroleumfetzen umwickelten Stock, der vor ihm in der Erde steckte. Er nahm die Fackel, schwenkte sie über seinem Kopf und stieß den hellsten und lautesten Juchzer aus, den er in seinem Leben jemals zustande gebracht hatte. Fast gleichzeitig gingen auf dem Geröllfeld sechzehn Fackeln an und die Männer begannen, so schnell sie konnten, die Linien abzulaufen und die Säcke einen nach dem anderen zu entzünden. Mattl kicherte leise. Er dachte mit einem wohligen Gefühl an den Krauterer, der ihn erwartete, doch in seinem Nacken spürte er den kühlen Atem der Nacht, die sich immer tiefer über die Berge senkte.

Genau in diesem Moment legte unten im Tal Andreas Egger seinen Arm um Maries Schultern. Sie hatten sich zum Sonnenuntergang am Baumstumpf beim alten Steg verabredet und zu Eggers Erleichterung war sie pünktlich erschienen. Sie trug ein helles Leinenkleid und ihre Haare dufteten nach Seife, Heu und, wie Egger fand, auch ein bisschen nach Schweinebraten. Er hatte seine Jacke über den Baumstumpf gebreitet und ihr bedeutet, sich zu setzen. Er wolle ihr etwas zeigen, etwas, was sie womöglich nie wieder vergessen werde. »Etwas Schönes?«, fragte Marie. »Kann schon sein«, sagte er. Sie setzten sich nebeneinander und sahen schweigend zu, wie die Sonne hinter den Bergen verschwand. Egger hörte sein eigenes Herz pochen. Für einen Moment kam es ihm vor, als schlüge es nicht in seiner Brust, sondern in dem Baumstumpf unter ihm, so als ob das modrige Holz zu neuem Leben erwacht wäre. Dann hörten sie aus weiter Entfernung Thomas Mattls Juchzer und Egger zeigte in die Dunkelheit. »Schau«, sagte er. Eine Sekunde darauf glommen hoch oben an der anderen Talseite sechzehn Lichter auf und bewegten sich wie ein Schwarm Glühwürmchen in alle Richtungen. Auf ihrem Weg schienen die Lichter glühende Tropfen zu verlieren, die sich nacheinander zu geschwungenen Linien vereinten. Egger fühlte Maries Körper neben sich. Er legte seinen Arm um ihre Schultern und hörte sie leise atmen. Drüben schwangen sich die glühenden Linien in immer weiteren Bögen über den Hang oder schlossen sich zu rundlichen Gebilden zusammen. Ganz am Ende leuchteten oben links zwei Punkte auf und Egger wusste, dass der alte Mattl ganz persönlich übers Geröll gekrochen war und die letzten beiden Petroleumsäckchen entzündet hatte. *FÜR DICH, MARIE* stand in flackernden Buchstaben in den Berg geschrieben, riesengroß und weithin sichtbar für jedermann im Tal. Das »M« stand ziemlich schief, außerdem fehlte ein Stück, so dass es aussah, als hätte es jemand in der Mitte auseinandergerissen. Offenbar hatten sich mindestens zwei der Säcke nicht entzündet oder waren gar nicht erst aufgelegt worden. Egger atmete einmal tief ein, dann drehte er sich zu Marie und bemühte sich, in der Dunkelheit ihr Gesicht zu erkennen. »Willst du meine Frau werden?«, fragte er.

»Ja«, flüsterte sie so leise, dass er nicht sicher war, ob er sie auch richtig verstanden hatte. »Willst du das werden, Marie?«, fragte er noch einmal.

»Ja, das will ich«, sagte sie mit fester Stimme und Egger hatte das Gefühl, als müsste er im nächsten Moment einfach nach hinten vom Baumstumpf kippen. Aber er blieb sitzen. Sie umarmten sich, und als sie voneinander abließen, waren die Feuer am Berg verloschen.

Eggers Nächte waren nun nicht länger einsam. Im Bett neben ihm lag seine leise atmende Frau und manchmal konnte er ihren Körper betrachten, der sich unter der Decke abzeichnete und der ihm, obwohl er ihn über die Wochen zunehmend besser kennengelernt hatte, noch immer wie ein unbegreifliches Wunder vorkam. Er war jetzt offiziell dreiunddreißig Jahre alt und kannte seine Pflichten. Er würde Marie beschützen und für sie sorgen, das hatte er sich gesagt und so wollte er es halten. Und deswegen stand er an einem Montagmorgen wieder in der Baracke des Prokuristen vor dessen Schreibtisch. »Ich möchte mehr Arbeit«, sagte er und drehte seine Wollmütze in den Händen. Der Prokurist hob seinen Kopf und blickte ihn verdrossen an: »Niemand möchte mehr Arbeit!«

»Ich schon. Weil ich nämlich eine Familie haben werde.«

»Du möchtest also mehr Geld, nicht mehr Arbeit.«

»Wenn Sie das so sehen, wird es schon seine Richtigkeit haben.«

»Ja, ich glaube, ich sehe das so. Wie viel verdienst du jetzt?«

»Sechzig Groschen die Stunde.«

Der Prokurist lehnte sich zurück und sah zum Fenster hinaus, in dem sich hinter einer Staubschicht die weiße Spitze der Hahnenzinne abzeichnete. Langsam strich er mit einer Hand über seine Glatze. Dann gab er ein gepresstes Schnaufen von sich und blickte Egger in die Augen. »Du kriegst achtzig, aber ich möchte, dass du dir für jeden einzelnen Groschen deinen Hintern aufreißt. Wirst du das tun?«

Egger nickte und der Prokurist seufzte. Und dann sagte er etwas, das Egger, obwohl er es in diesem Moment nicht verstand, sein Leben lang nicht mehr vergaß: »Man kann einem Mann seine Stunden abkaufen, man kann ihm seine Tage stehlen oder ihm sein ganzes Leben rauben. Aber niemand kann einem Mann auch nur einen einzigen Augenblick nehmen. So ist das, und jetzt lass mich in Frieden!«

***

Die Trupps der Firma Bittermann & Söhne hatten sich mittlerweile weit über die Baumgrenze hinaufgearbeitet und hinter sich eine fast anderthalb Kilometer lange, an manchen Stellen bis zu dreißig Meter breite Narbe im Wald hinterlassen. Bis zur geplanten Bergstation knapp unter dem Karleitnergipfel waren es nur noch etwa vierhundert Meter, aber das Gelände war steil und unzugänglich und das letzte Stück sollte eine nahezu senkrechte Wand überbrücken, die oben von einem überhängenden Felsen gekrönt war, der wegen seiner Form von den Einheimischen der Riesenschädel genannt wurde. Über viele Tage hing Egger genau unter dem Kinn des Riesenschädels und bohrte Löcher in den Granit, in die er unterarmgroße Halterungsschrauben drehte, welche später eine lange Metallleiter für die Wartungstechniker tragen sollten. Mit einem geheimen Stolz dachte er an die Männer, die irgendwann einmal über diese Leiter klettern würden, nicht ahnend, dass sie ihr Leben einzig ihm und seiner Geschicklichkeit zu verdanken hatten. Während der kurzen Verschnaufpausen hockte er sich auf einen Felsvorsprung und blickte übers Tal. Seit einigen Wochen wurde die alte Straße aufgeschüttet und geteert und er konnte im nebeligen Dampf schemenhaft Männer sehen, die, über die Entfernung scheinbar lautlos, mit Spitzhacken und Schaufeln den heißen Asphalt bearbeiteten.

Im Winter war Egger einer der wenigen, die immer noch auf dem Lohnzettel der Firma standen. Gemeinsam mit einer Handvoll anderer Männer, unter ihnen Thomas Mattl, der sich dank seiner lebenslangen Erfahrung im Wald als überaus brauchbar für die Firma erwiesen hatte, fuhr er fort, die Schneise zu verbreitern und sie von Steinen, Altholz und Wurzelstöcken freizuhalten. Oft standen sie bis zur Hüfte im Schnee und hackten eine Wurzel aus dem gefrorenen Boden, während ihnen der Wind die vereisten Flocken wie Schrotkörner ins Gesicht blies, so dass die Haut zu bluten begann. Während der Arbeit redeten sie nur das Nötigste und in den Mittagspausen saßen sie schweigend unter einer schneebedeckten Tanne und hielten ihr Stockbrot ins Feuer. Sie krochen hintereinander durchs Unterholz oder saßen während eines Unwetters im Windschutz eines Felsens und hauchten in ihre von der Kälte aufgerissenen Hände. Sie waren wie Tiere, dachte Egger, sie krochen über die Erde, verrichteten ihre Notdurft hinter dem nächsten Baum und waren so dreckig, dass sie kaum noch von ihrer Umgebung zu unterscheiden waren. Oft dachte er auch an Marie, die zu Hause auf ihn wartete. Er war nicht mehr alleine, und obwohl dieses Gefühl immer noch ungewohnt war, wärmte es ihn mehr als das Feuer, in dessen Glutasche er seine steinhart gefrorenen Stiefel steckte.

Im Frühjahr, nachdem die Schneeschmelze eingesetzt hatte und es überall im Wald geheimnisvoll zu tropfen und zu gluckern begann, geschah ein Unglück in Eggers Trupp. Beim Bearbeiten einer unter den Schneemassen umgeknickten Zirbelkiefer löste sich mit einem scharfen Knall die Spannung im Holz und aus dem Stamm federte ein mannshohes Splitterstück heraus und schlug dem jungen Holzhacker Gustl Grollerer seinen rechten Arm ab, den er unglücklicherweise schon wieder zum nächsten Axthieb hoch über den Kopf gehoben hatte. Grollerer fiel um und starrte auf seinen Arm, der zwei Meter weiter auf dem Waldboden lag und dessen Finger immer noch den Hackenstiel umklammerten. Für einen Moment senkte sich eine merkwürdige Stille über das Geschehen und es schien, als würde der ganze Wald in Atemlosigkeit erstarren. Schließlich war es Thomas Mattl, der sich als Erster wieder regte. »Jesus«, sagte er, »das schaut schlecht aus.« Er holte eine Drahtschlinge zum Abziehen der Rinde aus der Werkzeugkiste und zog sie mit aller Kraft um Grollerers Armstumpf, aus dem das dunkle Blut sprudelte. Grollerer brüllte auf, warf seinen Oberkörper herum und blieb dann bewusstlos liegen.

»Das haben wir gleich«, sagte Mattl und wickelte sein Schweißtuch um die Wunde. »So schnell ist noch keiner ausgeblutet!« Einer der Männer schlug vor, Äste zurechtzuhacken, um daraus eine Trage zu bauen. Ein anderer machte sich daran, den Armstumpf mit einer Handvoll Waldkräutern einzureiben, wurde jedoch schnell wieder weggedrängt. Man kam schließlich überein, dass es das Beste wäre, den Verletzten, so wie er war, ins Dorf hinunterzutragen, ihn dort auf die Ladefläche eines Dieselwagens zu schnallen und ins Spital zu fahren. Der lombardische Maschinenschlosser hob Grollerer vom Boden auf und legte ihn sich wie einen schlaffen Sack über die Schultern. Es entspann sich eine kurze Diskussion darüber, was mit dem Arm geschehen solle. Man müsse ihn einpacken und mitnehmen, schlugen die einen vor, vielleicht könnten ihn die Doktoren wieder annähen. Einen ganzen Arm hätten selbst die verteufeltsten Doktoren noch nicht wieder angenäht, widersprachen die anderen, und selbst wenn so etwas doch irgendwie gelänge, würde er dann doch nur schlaff und hässlich an Grollerers Seite hängen und ihm für den Rest seines Lebens Schwierigkeiten machen. Es war dann Grollerer selbst, der die Diskussion beendete, als er aus seiner Bewusstlosigkeit erwachte und auf dem Rücken des Schlossers seinen Kopf hob: »Begrabt meinen Arm im Wald. Vielleicht wächst daraus ein Johannisstrauch!«

Während sich die übrigen Männer mit dem ehemaligen Holzhacker Gustl Grollerer auf den Weg ins Dorf machten, blieben Egger und Thomas Mattl an der Unglücksstelle zurück, um den Arm zu verscharren. Das Laub und die Erde, auf der er lag, waren dunkel von Blut und seine Finger fühlten sich wächsern und kalt an, als sie sie vom Axtstiel lösten. An der Zeigefingerkuppe saß ein kleiner pechschwarzer Bockkäfer. Mattl hielt den steifen Arm von sich gestreckt und betrachtete ihn mit zugekniffenen Augen. »Es ist schon komisch«, sagte er. »Gerade war das noch ein Teil vom Grollerer und jetzt ist es tot und kaum mehr wert als ein morscher Ast. Was meinst du: Ist der Grollerer jetzt überhaupt noch der Grollerer?«

Egger zuckte mit den Schultern. »Warum denn nicht? Eben der Grollerer mit nur einem Arm.«

»Und wenn ihm der Baum beide Arme abgerissen hätte?«

»Auch dann. Immer noch der Grollerer.«

»Und wenn er ihm, sagen wir jetzt einmal, beide Arme, beide Beine und den halben Kopf weggerissen hätte?«

Egger dachte nach. »Wahrscheinlich wär er dann auch noch immer der Grollerer … irgendwie.« Auf einmal war er sich selbst nicht mehr so sicher.

Thomas Mattl seufzte. Er legte den Arm behutsam auf der Werkzeugkiste ab und gemeinsam hoben sie mit ein paar Spatenstichen ein Loch im Boden aus. Mittlerweile hatte der Wald wieder zu atmen begonnen und über ihren Köpfen sangen die Vögel. Der Tag war kühl gewesen, doch jetzt brach die Wolkendecke auf und das Sonnenlicht fiel in flirrenden Bündeln durchs Blätterdach und machte die Erde matschig und weich. Sie legten den Arm in sein kleines Grab und schaufelten es zu. Als Letztes verschwanden die Finger. Für einen Moment ragten sie wie dicke Mehlwürmer aus der Erde, dann waren sie weg. Mattl kramte sein Tabaksäckchen hervor und stopfte sich seine selbstgeschnitzte Zwetschgenholzpfeife.

»Es ist eine Sauerei mit dem Sterben«, sagte er. »Man wird einfach weniger mit der Zeit. Bei dem einen geht es schnell, beim Nächsten kann es dauern. Von der Geburt an verlierst du eines nach dem anderen: zuerst einen Zeh, dann einen Arm, zuerst einen Zahn, dann das Gebiss, zuerst eine Erinnerung, dann das ganze Gedächtnis und so weiter und so fort, bis irgendwann nichts mehr übrig bleibt. Dann hauen sie den letzten Rest von dir in ein Loch und schaufeln es zu und fertig.«

»Und es wird eine Kälte sein«, sagte Egger. »Eine Kälte, die einem die Seele zerfrisst.« Der Alte sah ihn an. Dann verzog er seinen Mund und spuckte knapp an seinem Pfeifenstiel vorbei auf den hinterhältigen Zirbelkiefersplitter, an dessen Rändern Grollerers Blut klebte. »Blödsinn. Gar nichts wird sein, keine Kälte und schon gar keine Seele. Tot ist tot und aus. Danach gibt es nichts mehr, auch keinen lieben Gott. Weil wenn es einen lieben Gott gäbe, wär sein Himmelsreich nicht so verteufelt weit weg!«

Thomas Mattl selbst wurde fast auf den Tag genau neun Jahre später von dieser Welt geholt. Ein Leben lang hatte er sich gewünscht, bei der Arbeit zu sterben, aber es kam anders. Beim Baden in der einzigen Badewanne des Arbeitslagers, einem verbeulten Ungetüm aus verzinktem Eisen, das einer der Köche gegen ein kleines Entgelt an die Arbeiter vermietete, war Thomas Mattl eingeschlafen. Als er wieder aufwachte, war das Wasser eisig und er bekam eine Erkältung, von der er sich nicht mehr erholte. Einige Nächte lag er schwitzend auf seiner

Pritsche und redete wirres Zeug, das sich entweder um seine längst verstorbene Mutter oder um die »blutsaufenden Waldteufel« drehte. Dann stand er eines Morgens auf und erklärte, er sei jetzt gesund und wolle zur Arbeit. Er schlüpfte in seine Hose, ging vor die Tür, reckte seinen Kopf der Sonne entgegen und fiel tot um. Man begrub ihn auf der abschüssigen Wiese neben dem Dorffriedhof, die die Firma der Gemeinde abgekauft hatte. Praktisch alle verfügbaren Mitarbeiter hatten sich zum Abschied versammelt und lauschten der kurzen Grabrede, die sich einer der Vorarbeiter zusammengereimt hatte und die von der schweren Arbeit am Berg und von Mattls reiner Seele handelte.

Thomas Mattl war einer von insgesamt siebenunddreißig Männern, die bei der Arbeit für die Firma Bittermann & Söhne bis zu deren Konkurs im Jahre neunzehnhundertsechsundvierzig offiziell umgekommen waren. In Wahrheit waren es jedoch weit mehr, die ihr Leben für den seit den Dreißigerjahren immer schneller expandierenden Seilbahnbau ließen. »Für jede Gondel geht einer unter die Erd«, hatte Mattl einmal in einer seiner letzten Nächte gesagt. Doch da hatten ihn die anderen Männer schon nicht mehr so richtig ernst genommen, weil sie dachten, das Fieber hätte ihm bereits den letzten Rest Verstand aus dem Hirn gebrannt.

So endete Andreas Eggers erstes Jahr bei der Firma Bittermann & Söhne, und die 1. Wendenkogler Luftseilbahn (das war ihre offizielle Bezeichnung, die allerdings nur vom Bürgermeister und von den Touristen verwendet wurde – die Einheimischen nannten sie wegen ihrer beiden blitzblauen Waggons, die zudem aufgrund ihrer etwas flach geratenen Frontpartien an die Gattin des Bürgermeisters erinnerten, einfach nur die Blaue Liesl) wurde mit einer großen Eröffnungszeremonie an der Bergstation eingeweiht, bei der eine ganze Menge feiner Leute von außerhalb in dünnen Anzügen und noch dünneren Kleidern frierend auf der Plattform standen und der Pfarrer seinen Segen gegen den Wind schrie, während die Soutane um seinen Körper flatterte wie das zerzauste Federkleid einer Dohle. Egger stand inmitten seiner Kollegen, die sich unterhalb des Riesenschädels über den Berg verteilt hatten, und jedes Mal, wenn er sah, wie die Leute oben auf der Plattform klatschten, riss er seine Arme in die Höhe und juchzte seine Begeisterung hinaus. In seinem Herzen spürte er ein eigenartiges Gefühl der Weite und des Stolzes. Er fühlte sich als Teil von etwas Großem, etwas, das seine eigenen Kräfte (eingeschlossen seine Vorstellungskraft) bei weitem überstieg und das, wie er zu erkennen glaubte, nicht nur das Leben im Tal, sondern irgendwie auch die ganze Menschheit voranbringen würde. Seitdem vor wenigen Tagen die Blaue Liesl bei ihrer Probefahrt vorsichtig ruckelnd, jedoch ohne weitere Zwischenfälle zum ersten Mal emporgeschaukelt war, schienen die Berge etwas von ihrer ewiggültigen Mächtigkeit eingebüßt zu haben. Und es würden noch weitere Bahnen folgen. Die Firma hatte die Verträge fast aller Arbeiter verlängert und Pläne für den Bau von insgesamt fünfzehn Luftseilbahnen präsentiert, darunter eine haarsträubende Konstruktion, die vorsah, Passagiere mitsamt ihren Rucksäcken und Skiern statt in Waggons in freischwebenden, hölzernen Sesseln zu befördern. Egger fand diese Vorstellung zwar eher lachhaft, doch insgeheim bewunderte er die Ingenieure, die sich derartig phantastische Dinge aus ihren Köpfen pressten und denen offenbar weder Schneestürme noch Sommerhitze ihre Zuversicht und den Glanz ihrer stets makellos geputzten Schuhe trüben konnten.

Ein halbes Leben oder fast vier Jahrzehnte später, nämlich im Sommer des Jahres neunzehnhundertzweiundsiebzig, stand Egger an derselben Stelle und beobachtete, wie hoch über seinem Kopf die silbrig glänzenden Gondeln der ehemaligen Blauen Liesl zügig und nur von einem kaum hörbaren Sirren begleitet dahinschwebten. Oben auf der Plattform öffneten sich die Gondeltüren mit einem langgezogenen Zischen und entließen einen Haufen Ausflügler, die in alle Himmelsrichtungen auseinanderströmten und sich wie bunte Insekten überall auf dem Berg verteilten. Egger ärgerte sich über diese Leute, die da so kopflos im Geröll herumstiegen und ständig nach irgendeinem verborgenen Wunder zu suchen schienen. Er hätte sich ihnen gerne in den Weg gestellt, um ihnen seine Meinung zu sagen, doch im Grunde wusste er nicht, was er ihnen eigentlich vorwerfen sollte. Insgeheim, so viel konnte er sich selbst immerhin eingestehen, beneidete er die Ausflügler. Er sah, wie sie in Turnschuhen und kurzen Hosen über die Felsen sprangen, ihre Kinder auf die Schultern nahmen und in ihre Fotoapparate hineinlachten. Er hingegen war ein alter Mann, zu nichts mehr zu gebrauchen und froh, sich noch einigermaßen aufrecht fortbewegen zu können. Er war schon so lange auf der Welt, er hatte gesehen, wie sie sich veränderte und sich mit jedem Jahr schneller zu drehen schien, und es kam ihm vor, als wäre er ein Überbleibsel aus einer längst verschütteten Zeit, ein dorniges Kraut, das sich, solange es irgendwie ging, der Sonne entgegenstreckte.

Die Wochen und Monate nach der Eröffnungsfeier auf der Bergstation waren die glücklichste Zeit in Andreas Eggers Leben. Er sah sich als ein kleines, aber gar nicht mal so unwichtiges Rädchen einer gigantischen Maschine namens Fortschritt, und manchmal vor dem Einschlafen stellte er sich vor, wie er im Bauch dieser Maschine saß, die sich unaufhaltsam ihren Weg durch Wälder und Berge bahnte, und wie er in der Hitze seines eigenen Schweißes zu ihrem stetigen Vorankommen beitrug. Er hatte die Worte *in der Hitze seines eigenen Schweißes* einem zerfledderten Leseheft entnommen, das Marie unter einer der Wirtshausbänke gefunden hatte und aus dem sie ihm an manchen Abenden vorlas. Neben allerhand Überlegungen zur städtischen Mode, Gartenpflege, Haltung von Kleintieren und der allgemeinen Moral gab es auch eine Geschichte in dem Heft. Sie handelte von einem verarmten russischen Adligen, der seine Geliebte, eine mit seltsamen Begabungen gesegnete Bauerntochter, im Laufe eines Winters durch halb Russland kutschiert, um sie vor den Nachstellungen einiger religiös verblendeter Dorfoberen, unter ihnen ihr eigener Vater, in Sicherheit zu bringen. Die Geschichte endete tragisch, enthielt aber eine ganze Menge sogenannter *romantischer Szenen,* die Marie mit einem kaum hörbaren Zittern in der Stimme vortrug und die bei Egger eine seltsame Mischung aus Abscheu und Faszination hervorriefen. Er lauschte den Worten aus Maries Mund und spürte, wie sich unter seiner Decke langsam eine Hitze ausbreitete, die, wie er meinte, bald die ganze Hütte ausfüllen würde. Jedes Mal, wenn der verarmte Adlige und die Bauerntochter in ihrer Kutsche über die schneebedeckte Steppe rasten, hinter ihnen das Pferdegetrappel und das wütende Geschrei der Verfolger, und sich das Mädchen angstvoll in des Grafen Arme warf und dabei mit dem Saum ihres von der Reise schon schmutzigen Kleides seine Wange streifte, hielt Egger es nicht mehr aus. Er strampelte sich seine Decke vom Leib und starrte mit entzündeten Augen in die flackernde Düsternis unter den Dachbalken hoch. Marie legte dann sorgsam das Leseheft unter das Bett und blies die Kerze aus. »Komm«, flüsterte sie in der Dunkelheit und Egger gehorchte.

Ende März neunzehnhundertfünfunddreißig saßen Egger und Marie nach Sonnenuntergang auf der Türschwelle und blickten übers Tal. Die letzten Wochen waren schneereich gewesen, doch seit zwei Tagen kündigte ein plötzlicher Wärmeeinbruch den Frühling an, überall schmolz der Schnee und unter der Dachtraufe lugten tagsüber schon die Schnäbel der jungen Schwalben über den Nestrand. Von früh bis spät flogen die Schwalbeneltern mit Würmern und Insekten im Schnabel zu ihrem Nachwuchs und Egger meinte, dass »ihre Scheiße insgesamt ausreichen würde, um damit ein neues Fundament zu zementieren«. Marie aber mochte die Vögel, sie hielt sie für flatternde Glücksbringer, die das Böse vom Haus fernhielten, also arrangierte er sich mit dem Dreck und das Nest durfte bleiben.

Egger ließ seinen Blick über das Dorf und die gegenüberliegende Talseite schweifen. Die Fenster in vielen Häusern waren bereits erleuchtet. Seit einiger Zeit gab es Elektrizität im Tal und an manchen Tagen konnte man da und dort einen alten Bauern in seiner Stube vor einer Lampe sitzen und verwundert in die helle Glut hineinstarren sehen. Auch im Lager waren die Lichter bereits angegangen und aus den schmalen Eisenrohren stieg der Rauch fast senkrecht in den wolkenverhangenen Abendhimmel. Aus der Entfernung sah es aus, als wären die Wolken mit dünnen Fäden an den Dächern befestigt und hingen wie riesige, unförmige Ballons über dem Tal. Die Waggons der Blauen Liesl standen still und Egger dachte an die beiden Wartungstechniker, die in diesem Augenblick gerade mit ihren Ölkännchen im Maschinenraum herumkrochen, um das Räderwerk zu schmieren. Eine weitere Seilbahn war bereits fertiggestellt und für eine dritte hatte man im Nachbartal schon begonnen, eine Schneise in den Wald zu schlagen, länger und breiter als die beiden ersten zusammen. Egger sah auf sein steil abfallendes, schneebedecktes Fleckchen Erde, das sich vor ihm ausbreitete. Er fühlte eine kleine, warme Welle der Zufriedenheit in seinem Inneren hochsteigen und am liebsten wäre er aufgesprungen und hätte sein Glück in die Welt hinausgeschrien, doch Marie saß so ruhig und still da, dass auch er sitzen blieb.

»Vielleicht können wir noch mehr Gemüse haben«, sagte er. »Ich könnte den Garten vergrößern. Hinterm Haus, meine ich. Erdäpfel, Zwiebeln und solche Sachen.«

»Ja, das wäre nicht schlecht, Andreas«, sagte sie. Egger sah sie an. Er konnte sich nicht erinnern, dass sie ihn jemals mit seinem Namen angesprochen hatte. Es war das erste Mal und es fühlte sich seltsam an. Sie wischte sich mit dem Handrücken kurz über die Stirn und er sah wieder weg. »Man muss sehen, ob das alles wachsen kann auf so einem Boden«, sagte er und bohrte mit seiner Schuhspitze in die gefrorene Erde hinein.

»Es wird etwas wachsen. Und es wird etwas ganz Wunderbares sein«, sagte sie. Egger blickte sie wieder an. Sie saß ein wenig zurückgelehnt und ihr Gesicht war kaum zu sehen im Schatten des Eingangs. Nur ihre Augen waren zu erahnen, zwei glänzende Tropfen in der Dunkelheit.

»Wieso schaust du denn so?«, fragte er leise. Plötzlich fühlte er sich beklommen, wie er da saß, neben dieser Frau, die ihm so vertraut und gleichzeitig so fremd war. Sie bewegte ihren Oberkörper ein Stück nach vorne und legte ihre Hände in den Schoß. Die Hände kamen ihm ungewöhnlich zart und weiß vor. Unmöglich, dass sie noch vor wenigen Stunden mit der Axt das Feuerholz gespalten hatten. Er streckte seinen Arm aus und berührte Maries Schulter, und obwohl er immer noch auf die weißen Hände in ihrem Schoß sah, wusste er, dass sie lächelte.

In der Nacht wurde Egger von einem merkwürdigen Laut geweckt. Es war nicht mehr als eine Ahnung, ein sanftes Flüstern, das um die Mauern strich. Er lag in der Dunkelheit und lauschte. Er spürte die Wärme seiner Frau neben sich und hörte ihre leisen Atemgeräusche. Schließlich stand er auf und ging nach draußen. Der warme Föhnwind stieß ihm entgegen und riss ihm fast die Tür aus der Hand. Über den Nachthimmel rasten schwarze Wolken und dazwischen schimmerte immer wieder ein blasser, unförmiger Mond hervor. Egger stapfte ein Stück die Wiese hinauf. Der Schnee war schwer und nass und überall gluckerte das Schmelzwasser. Er dachte an das Gemüse und daran, was sonst noch zu tun wäre. Der Boden gab nicht viel her, aber es würde reichen. Sie könnten eine Ziege haben oder vielleicht sogar eine Kuh, dachte er, wegen der Milch. Er blieb stehen. Irgendwo in der Höhe hörte er ein Geräusch, so als ob irgendetwas im Inneren des Berges mit einem Seufzen platzte. Dann hörte er ein tiefes, anschwellendes Grollen und nur einen Augenblick darauf begann die Erde unter seinen Füßen zu zittern. Plötzlich war ihm kalt. Binnen Sekunden erhob sich das Grollen zu einem durchdringenden, hellen Ton. Egger stand regungslos und hörte, wie der Berg zu singen begann. Dann sah er in einer Entfernung von etwa zwanzig Metern etwas Großes, Schwarzes lautlos vorbeihuschen, und noch ehe er begriffen hatte, dass es ein Baumstamm war, rannte er los. Er rannte durch den tiefen Schnee zum Haus zurück und rief nach Marie, doch im nächsten Moment packte ihn etwas und hob ihn hoch. Er fühlte, wie er davongetragen wurde, und das Letzte, was er sah, ehe ihn eine dunkle Welle überspülte, waren seine Beine, die über ihm in den Himmel ragten, als hätten sie die Verbindung zum Rest des Körpers verloren.

Als Egger wieder zu sich kam, waren die Wolken verschwunden und der Mond stand strahlend weiß am Nachthimmel. Ringsum erhoben sich die Berge in seinem Licht, ihre vereisten Kämme wirkten wie aus Blech gestanzt und schienen in ihrer Schärfe und Klarheit den Himmel zu zerschneiden. Egger lag schräg auf dem Rücken. Er konnte Kopf und Arme bewegen, doch seine Beine steckten bis zur Hüfte im Schnee. Er begann zu graben. Mit beiden Händen schaufelte und kratzte er seine Beine aus dem Schnee, und als er sie befreit hatte, sah er sie erstaunt vor sich liegen, kalt und fremd wie zwei Holzstücke. Mit den Fäusten schlug er auf seine Oberschenkel ein. »Lasst mich jetzt bloß nicht allein«, sagte er und stieß endlich ein heiseres Lachen hervor, als mit dem Blut auch der Schmerz in die Beine schoss. Er versuchte aufzustehen, knickte jedoch sofort wieder ein. Er beschimpfte seine Beine, die nichts taugten, und er beschimpfte seinen ganzen Körper, der schwächer war als der Körper eines kleinen Kindes. »Komm jetzt, auf mit dir!«, sagte er zu sich selbst, und als er es noch einmal versuchte, schaffte er es und stand. Die Gegend hatte sich verändert. Die Lawine hatte Bäume und Felsen unter sich begraben und den Boden geglättet. Die Schneemassen lagen wie eine riesige Decke im Mondlicht. Er versuchte sich an den Bergen zu orientieren. Soweit er erkennen konnte, befand er sich etwa dreihundert Meter unterhalb seiner Hütte, die dort oben hinter einem Hügel aus aufgeschüttetem Schnee liegen musste. Er machte sich auf den Weg. Es ging langsamer, als er gedacht hatte, der Lawinenschnee war unberechenbar, eben noch steinhart und wie mit dem Untergrund verbacken und nur zwei Schritte weiter weich und pulverig wie Staubzucker. Die Schmerzen waren schlimm. Vor allem sein gerades Bein machte ihm Sorgen. Es fühlte sich an, als ob ein Eisendorn in seinem Oberschenkel steckte, der sich mit jedem Schritt tiefer ins Fleisch bohrte. Er dachte an die jungen Schwalben. Hoffentlich hatte die Druckwelle sie nicht erwischt. Doch das Nest lag an einer gut geschützten Stelle und er hatte den Dachstuhl stabil gebaut. Trotzdem würde er die unteren Querbalken verstärken müssen, das Dach würde er mit Steinen beschweren und die Rückseite mit einer tief in den Hang gearbeiteten Stützwand aus ineinandergefügten Felsbrocken schützen. »Aber flach müssen die Steine sein!«, sagte er laut zu sich selbst. Er blieb kurz stehen und lauschte. Aber es war kaum ein Geräusch zu hören. Der Föhnwind war verschwunden, nur noch ein ganz feines Lüftchen prickelte auf der Haut. Er ging weiter. Die Welt um ihn herum war still und tot. Für einen Moment hatte er das Gefühl, der letzte Mensch auf Erden zu sein, zumindest aber der letzte Mensch im Tal. Er musste lachen. »So ein Blödsinn«, sagte er und ging weiter. Das letzte Stück unter dem Schneehügel war steil und er musste auf allen vieren kriechen. Der Schnee unter seinen Fingern war bröckelig und kam ihm merkwürdig warm vor. Seltsamerweise waren die Schmerzen in den Beinen jetzt verschwunden, aber tief in seinen Knochen steckte immer noch die Kälte und sie fühlten sich leicht und spröde an wie Glas. »Ich bin gleich da«, sagte er zu sich selbst oder zu Marie oder zu irgendwem, doch im selben Augenblick wusste er, dass ihn niemand mehr hören würde, und als er seinen Oberkörper über den Hügelkamm zog, schluchzte er laut auf. Er kniete im Schnee und überblickte die vom Mond beschienene Fläche, auf der sein Haus gestanden hatte. Er rief den Namen seiner Frau in die Stille hinaus: »Marie! Marie!« Er stand auf und ging ziellos auf seinem Grundstück herum. Unter einer knietiefen Pulverschicht war der Schnee hart und glatt wie von einer Walze gepresst. Überall verstreut lagen Dachschindeln, Steine und zerbrochenes Holz. Er erkannte den Eisenring seines Regenfasses und gleich daneben einen seiner Stiefel. An einer leicht erhöhten Stelle ragte ein Stück des Schornsteins aus dem Boden. Egger ging ein paar Schritte weiter, dorthin, wo er unter sich den Eingang vermutete. Er fiel auf die Knie und begann zu graben. Er grub, bis seine Hände bluteten und sich der Schnee unter ihm dunkel färbte. Als er nach einer Stunde etwa anderthalb Meter tief gekommen war und einen von der Lawine zerrissenen, wie einzementierten Dachbalken unter seinen wunden Fingern spürte, hörte er auf zu graben. Er richtete sich auf und blickte in den Nachthimmel hoch. Dann fiel er mit dem Oberkörper nach vorne und legte sein Gesicht in den von seinem Blut durchtränkten Schnee.

Es dauerte Wochen, bis sich die Brocken einzelner Berichte zusammengefügt hatten und die Ereignisse jener Nacht in den Köpfen der Einheimischen einen begreifbaren Ablauf bekamen. Die Lawine war um zwei Uhr dreißig gekommen. Etwa fünfzig Meter unterhalb der Almerspitze hatte sich aus einer Schneewechte ein riesiger Klumpen gelöst und war mit Wucht den Berg hinuntergebraust. Wegen des fast senkrechten Geländes an der Abbruchstelle hatte die Lawine schnell an Geschwindigkeit zugenommen und auf ihrem Weg ins Tal eine vernichtende Spur gezogen. Die Schneemassen donnerten knapp am hinteren Dorfausgang vorbei bis an die gegenüberliegende Talseite, wo sie eine kleinere Nebenlawine auslösten, deren nördlichster Ausläufer sogar das Arbeitslager der Firma Bittermann & Söhne erreichte und schließlich nur eine Armlänge vor Thomas Mattls alter Badewanne zum Stillstand kam. Die Lawine riss den entwurzelten Wald mit sich und hinterließ eine tiefe Wanne, die sich bis zu dem Bühel am Dorfweiher erstreckte. Die Dörfler berichteten von einer dumpfen Detonation, gefolgt von einem Rauschen oder Brausen, das sich wie das Stampfen einer gewaltigen Viehherde anhörte und sich vom Berg her schnell dem Dorf näherte. Die Druckwelle ließ Fenster erzittern und überall kippten Marienfiguren und Jesuskreuze von den Wänden. Fluchtartig verließen die Menschen ihre Häuser und liefen auf die Straße, über ihren geduckten Köpfen eine Wolke aus Schneestaub, die die Sterne zu schlucken schien. Sie versammelten sich vor der Kapelle und der Flüsterchor der betenden Frauen begleitete das auslaufende Grollen der Lawine. Ganz langsam senkte sich die Schneewolke und überdeckte alles mit einer feinen, weißen Schicht. Eine Totenstille lag über dem Tal und die Bewohner wussten, dass es vorbei war.

Die Schäden waren verheerend, weit schlimmer noch als nach dem großen Schneesturz von achtzehnhundertdreiundsiebzig, an den sich ein paar der Dorfältesten immer noch zu erinnern glaubten und von dessen sechzehn verschütteten Seelen sechzehn in den Hausaltar des Ogfreiner-Hofes geritzte Kreuze ein stummes Zeugnis ablegten. Vier Höfe, zwei große Heuschuppen, die kleine Wildbachmühle des Bürgermeisters sowie fünf Arbeiterbaracken und eine der Lagerlatrinen wurden von der Lawine gänzlich ruiniert oder zumindest in größeren Teilen beschädigt. Neunzehn Rinder, achtundzwanzig Schweine, zahllose Hühner und die sechs einzigen Schafe des Dorfes fanden ihren Tod. Mit dem Traktor oder mit bloßen Händen wurden ihre Kadaver aus dem Schnee gezogen und gemeinsam mit dem nicht mehr verwertbaren Trümmerholz verbrannt. Noch tagelang hing der Gestank von verbranntem Fleisch in der Luft und überdeckte den Geruch des Frühlings, der nun endgültig einzog, die Schneemassen zum Schmelzen und somit das ganze Ausmaß der Katastrophe zum Vorschein brachte. Dennoch kamen die Dörfler am Sonntag in der Kapelle zusammen und dankten dem Herrn für seine Güte. Denn nur durch göttliche Gnade war es zu erklären, dass die Lawine nicht mehr als drei Menschen ihr Leben genommen hatte: dem greisen Altbauernpaar Simon und Hedwig Jonasser, deren Haus vom Schnee komplett eingeschlossen war und die, nachdem man sich zu ihrer Schlafkammer durchgearbeitet hatte, in enger Umarmung in ihrem Bett aufgefunden wurden, die Gesichter aneinandergelegt und erstickt, sowie die Wirtshausgehilfin Marie Reisenbacher, Andreas Eggers junge Braut.

Die Männer eines noch in der Unglücksnacht eilig zusammengestellten Hilfstrupps fanden Eggers Hütte vom Schnee verschluckt und ihn selbst zusammengekrümmt vor einem mit bloßen Händen gegrabenen Schneeloch liegend. Als sie sich dem Unglücksort näherten, so wurde ihm hinterher erzählt, habe er sich nicht gerührt, und keiner der Männer hätte auch nur einen Groschen darauf gegeben, dass in diesem dunklen Menschenbündel noch Leben steckte. Egger konnte sich an kein einziges Detail seiner Rettung erinnern, doch bis an sein Lebensende trug er das traumartige Bild der Fackeln mit sich, die sich aus dem Dunkel der Nacht lösten und sich langsam und schwankend wie Geister auf ihn zubewegten.

Maries Leiche wurde geborgen, in der Kapelle neben dem Ehepaar Jonasser aufgebahrt und anschließend auf dem Gemeindefriedhof zu Grabe getragen. Die Beerdigung fand unter strahlendem Sonnenschein statt und über der aufgeschütteten Erde brummten die ersten Hummeln. Egger saß auf einem Hocker, krank und starr vor Traurigkeit, und nahm die Beileidsbekundungen entgegen. Er verstand nicht, was die Leute zu ihm sagten, und ihre Hände fühlten sich an wie irgendwelche fremdartigen Dinge, die man ihm reichte.

Für die nächsten Wochen fand Egger Unterkunft im Goldenen Gamser. Die meiste Zeit lag er im Bett in einem winzigen Zimmer hinter der Wäschekammer, welches ihm der Wirt zur Verfügung gestellt hatte. Die Brüche in den Beinen heilten nur langsam. Da der Knochenrichter Alois Klammerer schon vor Jahren gestorben war (der Krebs hatte ihm den Gaumen, den halben Kiefer und das Backenfleisch weggefressen, so dass man am Ende seine Zähne durch die offene Wange wie durch ein Fenster betrachten konnte), musste man den jungen Gemeindearzt bemühen, der erst vorige Saison ins Dorf gezogen war und hauptsächlich von den verstauchten, verrenkten oder gebrochenen Gliedmaßen der in immer größerer Zahl auftretenden Wander- und Skitouristen lebte. Die Firma Bittermann & Söhne übernahm das Arzthonorar und Egger bekam um seine Beine zwei strahlend weiße Gipsverbände. Am Ende der zweiten Woche stopfte man ihm ein dickes Strohkissen hinter den Rücken und er durfte sich aufsetzen und seine Milch aus einem Becher trinken, statt sie wie bisher aus einer Tonschale zu schlürfen. Nach der dritten Woche war er so weit genesen, dass ihn der Wirt und sein Schankbursch jeden Tag um die Mittagszeit in eine Pferdedecke wickelten, aus dem Bett hoben und draußen vor der Tür auf eine kleine Birkenholzbank setzten, von welcher er den Hang sehen konnte, auf dem sein Haus gestanden hatte und wo jetzt nur mehr ein von der warmen Frühlingssonne beschienener Geröllhaufen zu erkennen war.

Gegen Ende Mai bat Egger einen der Küchenbuben um ein scharf geschliffenes Fleischerbeil. Damit schnitt und hackte er so lange an den Gipsverbänden herum, bis er sie in jeweils zwei Hälften auseinanderklappen konnte und seine Beine zum Vorschein kamen. Weiß und dünn wie zwei entrindete Stecken lagen sie auf dem Bettlaken und ihr Anblick erschien ihm fast noch merkwürdiger als vor einigen Wochen, als er sie steif und kalt aus dem Schnee gezogen hatte.

Ein paar Tage lang schleppte Egger seinen ausgezehrten Körper zwischen Bett und Birkenholzbank hin und her, bis er schließlich wieder das Gefühl hatte, sein Beine gehörten zu ihm und wären auch kräftig genug, ihn über größere Entfernungen zu tragen. Zum ersten Mal seit Wochen schlüpfte er wieder in eine Hose und machte sich auf den Weg zu seinem Grundstück. Er ging durch den von der Lawine niedergewälzten Wald und blickte in den Himmel, der voller kleiner, runder Wolken war, und auf die Blüten, die überall zwischen den Stümpfen und ausgerissenen Stämmen hervorsprossen, weiß, dottergelb und leuchtend blau. Er versuchte alles genau zu sehen, um es sich für später zu merken. Er wollte begreifen, was geschehen war, aber als er nach Stunden an sein Stück Land kam und die verstreuten Balken und Bretter sah, wusste er, dass es nichts zu begreifen gab. Er setzte sich auf einen Stein und dachte an Marie. Er stellte sich vor, was in dieser Nacht passiert war, und schreckliche Bilder zogen vor seinem inneren Auge hoch: Aufrecht, die Arme auf der Decke ausgestreckt, saß Marie in ihrem Bett und lauschte mit weit geöffneten Augen in die Dunkelheit hinaus, nur eine Sekunde bevor die Lawine wie eine riesenhafte Faust durch die Wände brach und ihren Körper in die kalte Erde stieß.

***

Im Herbst, fast ein halbes Jahr nach dem Lawinenabgang, verließ Egger das Tal, um für die Firma weiterzuziehen. Für die schwere Holzarbeit allerdings war er nicht mehr zu gebrauchen.

»Was sollen wir mit einem wie dir?«, fragte der Prokurist, nachdem Egger über den Teppich lautlos herangehumpelt war und nun mit hängendem Kopf vor seinem Schreibtisch stand. »Du taugst doch nichts mehr.« Egger nickte, und der Prokurist seufzte. »Das mit deiner Frau tut mir leid«, sagte er. »Aber komm mir bloß nicht auf die Idee, dass das was mit den Sprengungen zu tun hat. Die letzte Sprengung war ein paar Wochen vor der Lawine!«

»Komm ich nicht«, sagte Egger. Der Prokurist legte seinen Kopf schief und sah eine Weile zum Fenster hinaus.

»Oder glaubst du vielleicht, dass der Berg ein Gedächtnis hat?«, fragte er unvermittelt. Egger zuckte mit den Schultern. Der Prokurist beugte sich zur Seite, machte ein gurgelndes Geräusch und spuckte in einen Blechnapf, der zu seinen Füßen stand. »Also gut«, meinte er schließlich. »Die Firma Bittermann & Söhne hat bislang siebzehn Seilbahnen gebaut und du kannst mir glauben, es werden nicht die letzten sein. Die Leute sind ganz verrückt danach, auf ihren Brettern die Berge hinunterzurutschen.« Er schob seinen Napf mit der Schuhspitze unter den Schreibtisch und sah Egger ernst an. »Der Herrgott allein weiß, warum das so ist«, sagte er. »Jedenfalls müssen die Bahnen gewartet werden, Seile kontrolliert, Laufräder geschmiert, Waggondächer gepflegt und so weiter. Du brauchst doch nicht immer festen Boden unter den Füßen, oder?«

»Glaub nicht«, sagte Egger.

»Dann ist es gut«, sagte der Prokurist.

Egger wurde einem kleinen Trupp zugeteilt, bestehend aus einer Handvoll schweigsamer Männer, deren bärtige, von der Bergsonne verbrannte Gesichter kaum eine Regung ihrer Seelen verrieten. In einem geschlossenen

Lieferwagen, zumeist auf den Pritschen im Laderaum hockend, zogen sie auf den immer häufiger ausgeteerten Bergstraßen von Seilbahn zu Seilbahn und kümmerten sich um Wartungsarbeiten, die zu aufwendig waren, um von den ansässigen Arbeitern erledigt werden zu können. Eggers Aufgabe bestand darin, in einem Holzgestell sitzend, das nur mit einer Sicherungsleine und einem per Hand bremsbaren Rollmechanismus an den Stahlseilen befestigt war, langsam talwärts zu rutschen, die Seile und Trägergelenke von Staub, Eis oder verkrustetem Vogelmist zu befreien und sie anschließend mit frischem Öl zu schmieren. Niemand riss sich um diese Aufgabe, es hatte sich herumgesprochen, dass in den Jahren zuvor zwei Männer, beide erfahrene Kletterer, abgestürzt und zu Tode gekommen waren, sei es aus Unachtsamkeit oder wegen eines Materialfehlers oder einfach nur wegen des Windes, der die Stahlseile manchmal meterweit nach beiden Seiten schwingen ließ. Aber Egger hatte keine Angst. Er wusste, sein Leben hing an einer dünnen Schnur, doch sobald er einen Träger erklommen, den Rollmechanismus angebracht und die Sicherheitskarabiner eingehakt hatte, fühlte er, wie es in ihm ruhig wurde und wie sich die wirren und verzweifelten Gedanken, die sein Herz wie eine schwarze Wolke umhüllten, in der Bergluft nach und nach auflösten, bis nichts mehr übrig blieb als reine Traurigkeit.

Viele Monate zog Egger so durch die Täler, schlief nachts im Lastwagen oder in billigen Pensionszimmern und baumelte tagsüber zwischen Himmel und Erde. Er sah, wie sich der Winter über die Berge legte. Er arbeitete im dichten Schneefall, kratzte mit seiner Drahtbürste das Eis vom Seil und schlug von den Trägerstreben lange Zapfen, die in der Tiefe unter ihm mit einem leisen Klirren zerbarsten oder geräuschlos vom Schnee verschluckt wurden. In der Ferne hörte er oft das dumpfe Grollen der Lawinen. Manchmal schien es näher zu kommen und er blickte den Hang hinauf, in Erwartung einer riesigen weißen Welle, die ihn ein Stück vor sich her treiben und schließlich überrollen würde, mitsamt dem Seil, den Stahlträgern und der ganzen Welt. Doch jedes Mal verklang das Grollen und die hellen Rufe der Dohlen waren wieder zu hören.

Im Frühling führte ihn die Route ins Tal zurück, wo er eine Zeitlang blieb, um die Schneise der Blauen Liesl vom Schwemmholz zu befreien und kleine Risse in den Trägerfundamenten auszubessern. Wieder fand er Quartier im Goldenen Gamser, in dem Zimmer, in dem er mit seinen zerschlagenen Beinen so viele Tage zugebracht hatte. Jeden Abend kam er todmüde vom Berg, aß am Bettrand sitzend die restlichen Bissen seiner Tagesration und fiel, sobald er seinen Kopf aufs Kissen legte, in einen schweren, traumlosen Schlaf. Einmal wachte er mitten in der

Nacht mit einem merkwürdigen Gefühl auf, und als er zu dem staubigen Fensterchen unter der Decke hochblickte, sah er, dass es von unzähligen Nachtfaltern verhangen war. Die Flügel der Tiere schienen im Mondlicht zu leuchten und schlugen mit einem kaum hörbaren, papierenen Geräusch gegen die Scheibe. Für einen Augenblick dachte Egger, ihr Erscheinen müsse ein Zeichen sein, doch wusste er nicht, was es ihm bedeuten sollte, also schloss er die Augen und versuchte wieder einzuschlafen. Es sind doch nur Falter, dachte er, ein paar dumme, kleine Nachtfalter, und als er am frühen Morgen aufwachte, waren sie verschwunden.

Er blieb einige Wochen im Dorf, das sich, soweit er erkennen konnte, weitestgehend von den Folgen des Lawinenunglücks erholt hatte, dann zog er weiter. Er hatte es vermieden, nach seinem Grundstück zu sehen oder auf den Friedhof zu gehen, und auch auf die kleine Birkenholzbank hatte er sich nicht gesetzt. Er zog weiter, hing zwischen den Bergen in der Luft und sah die Jahreszeiten unter sich vorüberziehen wie farbige Bilder, die ihm nichts sagten und mit denen er nichts zu tun hatte. Später erinnerte er sich an die Jahre nach der Lawine als an eine leere, schweigende Zeit, die sich nur langsam und beinahe unmerklich wieder mit Leben füllte.

Als ihm an einem klaren Herbsttag eine Rolle Schleifpapier aus der Hand fiel und wie ein übermütiges Böcklein den Abhang hinuntersprang, bis sie schließlich über einen Felsvorsprung hinaussegelte und in der Tiefe verschwand, hielt Egger zum ersten Mal seit langem inne und betrachtete die Umgebung. Die Sonne stand tief und auch die weit entfernten Bergspitzen waren so klar zu sehen, als hätte sie eben erst jemand in den Himmel gemalt. Ganz in der Nähe stand ein einzelner, leuchtend gelber Bergahorn, ein Stück weiter weideten Kühe und warfen lange, schmale Schatten, die mit ihnen Schritt für Schritt über die Wiese wanderten. Unter dem Vordach einer kleinen Kälberhütte saß eine Gruppe Wanderer. Egger konnte hören, wie sie miteinander redeten und lachten, und ihre Stimmen kamen ihm zugleich fremd und angenehm vor. Er dachte an Maries Stimme und wie gerne er ihr zugehört hatte. Er versuchte sich an ihre Melodie und an ihren Klang zu erinnern, aber es wollte ihm nicht gelingen. »Wenn mir wenigstens ihre Stimme geblieben wäre!«, sagte er laut zu sich selbst. Dann rollte er langsam zum nächsten Stahlträger, kletterte hinunter und machte sich auf die Suche nach dem Schleifpapier.

Drei Tage darauf sprang Egger, nachdem er einen nasskalten Tag damit verbracht hatte, den Rost von den Sockelnieten einer Bergstation zu bürsten, abends von der Lastwagenrampe und ging in die kleine Pension, die er und die anderen Männer bewohnten. Der Weg zu seinem Zimmer führte ihn an der nach eingelegten Essiggurken riechenden Wohnstube der Pensionswirtin vorbei. Die alte Frau saß alleine an ihrem Tisch. Sie hatte die Ellbogen aufgestützt und das Gesicht in den Händen verborgen. Vor ihr stand der große Radiokasten, aus dem sonst um diese Zeit entweder Blechmusik oder Adolf Hitlers aufgebrachte Redeschwälle tönten. Diesmal war das Radio still und Egger hörte das leise Schnaufen der Alten, die in ihre Hände hineinatmete. »Ist Ihnen nicht gut?«, fragte er.

Die Wirtin hob den Kopf und sah ihn an. In ihrem Gesicht waren die Abdrücke ihrer Finger zu sehen, blasse Streifen, die sich nur langsam wieder mit Blut füllten. »Wir haben Krieg«, sagte sie.

»Wer behauptet das?«, fragte Egger.

»Na, das Radio«, sagte die Alte und warf dem Kasten einen feindseligen Blick zu. Egger sah, wie sie hinter ihren Kopf fasste und mit zwei schnellen Bewegungen den Haarknoten löste. Die Haare der Alten fielen über ihren Nacken, lang und gelblich wie Flachsfasern. Ihre Schultern bebten kurz, so als würde sie gleich zu schluchzen beginnen. Aber dann stand sie auf und ging an ihm vorbei und durch den Flur nach draußen, wo sie von einer schmutzigen Katze begrüßt wurde, die eine Weile um ihre Füße strich, bevor die beiden gemeinsam um die Ecke verschwanden.

Am nächsten Morgen machte sich Egger auf den Weg nach Hause, um sich zum Kriegsdienst zu melden. Es war kein Entschluss, der von irgendwelchen Überlegungen getragen wurde. Er war ganz einfach plötzlich da, wie ein Ruf von weit her, und Egger wusste, dass er ihm folgen musste. Schon als Siebzehnjähriger war er einmal zur Musterung einberufen worden, doch damals hatte Kranzstocker erfolgreich Einspruch erhoben, und zwar mit dem Argument, wenn man ihm seinen lieben Ziehsohn (welcher nebenbei bemerkt auch noch die tüchtigste Arbeitskraft der Familie sei) aus den Armen reiße, um ihn an die Katzelmacher oder (noch schlimmer) an die Baguettefresser zu verheizen, so könne man ihm in Herrgotts Namen auch gleich den ganzen Hof unterm Arsch wegbrennen. Damals war Egger dem Bauern insgeheim dankbar gewesen. Er hatte in seinem Leben zwar nichts zu verlieren, doch immerhin noch etwas zu gewinnen gehabt. Das war nun anders.

Da das Wetter einigermaßen stillhielt, machte er sich zu Fuß auf den Weg. Er marschierte den ganzen Tag, verbrachte die Nacht in einem alten Heuschober und brach noch vor Sonnenaufgang wieder auf. Er lauschte dem gleichmäßigen Summen der Telefondrähte, die neuerdings zwischen schmalen Masten längs der Wege gespannt waren, und er sah, wie mit den ersten Sonnenstrahlen die Berge aus der Nacht wuchsen, und obwohl er dieses Spektakel schon Tausende Male beobachtet hatte, berührte es ihn diesmal auf eigenartige Weise. Er konnte sich nicht erinnern, jemals in seinem Leben etwas so Schönes und gleichzeitig so Furchteinflößendes gesehen zu haben.

Eggers Aufenthalt im Dorf war kurz. »Sie sind zu alt. Außerdem hinken Sie«, sagte der Offizier, der im Goldenen Gamser an einem weißgedeckten und mit kleinen Hakenkreuzfahnen geschmückten Wirtshaustisch saß und gemeinsam mit dem Bürgermeister und einer ältlichen Schreibmaschinenfrau die Musterungskommission bildete.

»Ich will in den Krieg«, sagte Egger.

»Glauben Sie, die Wehrmacht könnte einen wie Sie gebrauchen?«, fragte der Offizier. »Für wen halten Sie uns denn?«

»Sei nicht dumm, Andreas, und geh wieder an deine Arbeit«, sagte der Bürgermeister und damit war die Sache erledigt. Die Schreibmaschinenfrau drückte einen Stempel auf die einblättrige Akte und Egger kehrte zu den Seilbahnen zurück.

Nicht ganz vier Jahre darauf, im November des Jahres neunzehnhundertzweiundvierzig, stand Egger vor derselben Kommission, diesmal allerdings nicht als Freiwilliger, sondern als Einberufener. Er hatte keine Ahnung, warum die Wehrmacht nun plötzlich doch einen wie ihn gebrauchen konnte, jedenfalls schienen sich die Zeiten geändert zu haben.

»Was können Sie?«, fragte der Offizier.

»Ich kenne mich in den Bergen aus«, antwortete Egger. »Ich kann Stahlseile schmirgeln und Löcher in den Fels hauen!«

»Das ist gut«, meinte der Offizier. »Haben Sie schon einmal vom Kaukasus gehört?«

»Nein«, sagte Egger.

»Macht nichts«, sagte der Offizier. »Andreas Egger, ich erkläre Sie hiermit für kriegstauglich. Ihnen kommt die ehrenvolle Aufgabe zu, den Osten zu befreien!«

Egger blickte zum Fenster hinaus. Draußen hatte es zu regnen begonnen, dicke Tropfen klatschten gegen die Scheibe und verdunkelten den Gastraum. Aus den Augenwinkeln sah er, wie sich der Bürgermeister langsam über den Tisch beugte und auf die Platte hinunterstarrte.

Insgesamt verbrachte Egger über acht Jahre in Russland, davon nicht einmal zwei Monate an der Front, die restliche Zeit in einem Kriegsgefangenenlager irgendwo in der Weite der Nordschwarzmeersteppe. Obwohl der Auftrag zu Beginn noch einigermaßen klar schien (es ging neben der Befreiung des Ostens auch um die Sicherung von Ölvorkommen sowie um die Verteidigung und Instandhaltung von geplanten Ölförderanlagen), hätte er schon nach wenigen Tagen nicht mehr genau sagen können, warum er dort war und wofür oder gegen wen er eigentlich kämpfte. Es war, als ob in diesen pechschwarzen kaukasischen Winternächten, in denen am Horizont der Bergkämme die Geschützfeuer wie leuchtende Blumen erblühten und ihren Widerschein auf die angstvollen oder verzweifelten oder abgestumpften Gesichter der Soldaten legten, jeder Gedanke an Sinn oder Unsinn schon im Keim erstickt wurde. Egger hinterfragte nichts. Er führte Befehle aus, das war alles. Im Übrigen war er der Meinung, dass es ihn weit schlimmer hätte treffen können. Nur wenige Wochen nach seiner Ankunft im Gebirge wurde er nachts von zwei schweigsamen und ganz offensichtlich mit dem Gelände vertrauten Kameraden auf ein schmales Felsplateau auf etwa viertausend Höhenmetern gebracht. Dort solle er bleiben, bis man ihn zurückrufe, hatte ihm einer seiner Vorgesetzten erklärt, einerseits um eine Reihe von Sprenglöchern zu setzen und andererseits um die vorgelagerte Stellung zu sichern und gegebenenfalls zu halten. Egger hatte keine Ahnung, um welche vorgelagerte Stellung es sich dabei handelte und was überhaupt unter einer solchen Stellung zu verstehen war, doch er war nicht unzufrieden mit seiner Aufgabe. Die beiden Kameraden ließen ihn mit dem Werkzeug, einem Zelt, einer Proviantkiste und dem

Versprechen, einmal die Woche mit Nachschub wiederzukommen, alleine, und Egger richtete sich, so gut es ging, ein. Tagsüber bohrte er Dutzende Löcher in den Fels, den er oft erst von einer dicken Eisschicht freihauen musste, nachts lag er in seinem Zelt und versuchte trotz der beißenden Kälte zu schlafen. Zu seiner Ausrüstung gehörten ein Schlafsack, zwei Decken, seine mit Fell gefütterten Winterstiefel und die dicke Steppjacke der Gebirgsjäger. Außerdem hatte er das Zelt zur Hälfte in eine gefrorene Schneewechte hineingebaut, was ihn zumindest ein wenig vor dem Wind schützte, der oft so laut brauste, dass er das Röhren der Bomber und die dumpfen Detonationen der Flakgeschütze übertönte. Das alles reichte jedoch nicht aus, um die Kälte draußen zu halten. Der Frost schien durch alle Nähte zu kriechen, unter die Kleidung und unter die Haut, und sich in jeder Faser des Körpers festzukrallen. Es war bei Todesstrafe verboten, Feuer zu machen, doch selbst wenn es erlaubt gewesen wäre: Das Plateau lag hoch über der Baumgrenze und weit und breit gab es nicht einmal ein Ästchen, das Egger hätte verbrennen können. Manchmal machte er den kleinen Benzinkocher an, mit dem er seine Konserven wärmte. Aber die winzigen Flammen schienen ihn nur zu verhöhnen. Sie verbrannten ihm die Fingerspitzen und ließen den Rest des Körpers umso mehr frieren. Egger fürchtete die Nächte. Zusammengerollt lag er in seinem Schlafsack und die Kälte trieb ihm die Tränen in die Augen. Manchmal träumte er. Es waren wirre Träume voller Schmerzen und jagender Fratzen, die sich aus dem Schneegestöber seines Geistes lösten. Einmal erwachte er aus einem solchen Traum, weil er meinte, etwas Weiches, Bewegliches wäre ins Zelt gekrochen und starre ihn an. »Jesus!«, stieß er leise hervor und wartete, bis sich sein Herz langsam wieder beruhigte. Er streifte seinen Schlafsack ab und kroch aus dem Zelt. Der Himmel war sternenlos und tiefschwarz. Die ganze Umgebung war in Dunkelheit getaucht und vollkommen still. Egger setzte sich auf einen Stein und blickte in die Finsternis hinaus. Wieder hörte er sein Herz pochen und in diesem Augenblick wusste er, dass er nicht allein war. Er konnte nicht sagen, woher dieses Gefühl kam, er sah nur die Schwärze der Nacht und hörte seinen Herzschlag, doch irgendwo dort draußen spürte er die Nähe eines anderen Lebewesens. Er hatte keine Ahnung, wie lange er so vor seinem Zelt saß und in die Dunkelheit hinauslauschte, doch noch ehe der erste blasse Lichtstreifen über den Bergen erschien, wusste er auch, wo sich sein Gegenüber befand: Auf der anderen Seite der Schlucht, die das Plateau nach Westen hin begrenzte, ragte ein Felsvorsprung aus der Wand, etwa dreißig Meter Luftlinie entfernt und kaum breit genug, um einer Ziege sicheren Stand zu geben. Auf dem Vorsprung stand ein russischer Soldat, dessen Gestalt im zunehmenden Licht des frühen Morgens nun rasch deutlicher wurde. Er stand einfach nur da, in unbegreiflicher Regungslosigkeit, und sah zu Egger herüber, der seinerseits immer noch auf dem Stein saß und sich nicht zu rühren wagte. Der Soldat war jung und hatte das milchige Gesicht eines Stadtbuben. Seine Stirn war glatt und schneeweiß, seine Augen standen eigentümlich schräg. Er trug seine Waffe, ein Kosakengewehr ohne Bajonett, an einem Riemen über der Schulter, seine rechte Hand lag ruhig auf dem Schaft. Der Russe sah Egger an und Egger sah den Russen an und um sie herum war nichts außer der Stille eines kaukasischen Wintermorgens. Egger hätte danach nicht mehr sagen können, wer von ihnen sich zuerst bewegte, jedenfalls ging ein Ruck durch den Körper des Soldaten und Egger stand auf. Der Russe nahm seine Hand vom Gewehrschaft und wischte sich mit dem Ärmel über die Stirn. Dann machte er kehrt und stieg, schnell und geschickt und ohne sich noch einmal umzusehen, einige Meter in die Höhe, wo er zwischen den Felsen verschwand.

Egger blieb noch einen Moment stehen und dachte nach. Er begriff, dass er seinem Todfeind gegenübergestanden hatte, und doch fühlte er nach dessen Verschwinden seine Einsamkeit tiefer als je zuvor.

In der ersten Zeit waren die beiden Kameraden gemäß ihrer Abmachung alle paar Tage gekommen, um die Nahrungsvorräte aufzustocken, nötigenfalls ein Paar Wollsocken oder einen neuen Steinbohrer sowie Nachrichten von der Front zu bringen (das Geschehen wogte hin und her, es gab Verluste, aber auch Gewinne, alles in allem wusste man nicht so recht). Nach einigen Wochen aber blieben ihre Besuche aus und gegen Ende Dezember – nach Eggers Zählung, der die Tage mit dem Bohrer in eine Eisplatte ritzte, musste es der zweite Weihnachtsfeiertag gewesen sein – hatte er zum ersten Mal den Verdacht, dass sie nicht mehr kommen würden. Als sich nach einer weiteren Woche immer noch niemand blicken ließ, machte er sich am ersten Januar neunzehnhundertdreiundvierzig im dichten Schneetreiben auf den Rückweg ins Lager. Er folgte dem Weg, den sie vor fast zwei Monaten heraufgegangen waren, und war erleichtert, als ihm schon bald das vertraute Rot der Hakenkreuze entgegenschimmerte. Es dauerte jedoch nicht einmal zwei Sekunden, und ihm wurde schlagartig klar, dass das gar keine Hakenkreuzfähnchen waren, die da vor ihm als Lagerbegrenzung im Boden steckten, sondern die Flaggen der Russischen Sozialistischen Sowjetrepublik. In diesem Moment verdankte Egger sein Leben einzig und alleine der Geistesgegenwart, mit der er auf der Stelle sein Gewehr vom Rücken riss und es, so weit er konnte, von sich schleuderte. Er sah, wie die Waffe mit einem dumpfen Geräusch im Schnee verschwand, und nur einen Wimpernschlag später hörte er das Geschrei der Wachen, die auf ihn zugerannt kamen. Er hob die Hände, ließ sich auf die Knie fallen und senkte den Kopf. Er spürte einen Schlag in seinem Nacken, kippte nach vorne und hörte die tiefen, russischen Stimmen über sich tönen wie unverständliche Geräusche aus einer anderen Welt.

Zwei Tage hockte Egger gemeinsam mit zwei anderen Gefangenen in einer schlampig zusammengenagelten und mit Filz abgedichteten Holzkiste von etwa eineinhalb Metern Breite und Länge und nicht einmal einem Meter Höhe. Die meiste Zeit blickte er durch eine Ritze ins Freie und versuchte aus den Bewegungen dort draußen Hinweise auf die Pläne der Russen und auf seine eigene Zukunft herauszulesen. Als schließlich am dritten Tag mit einem kreischenden Geräusch die Nägel aus dem Holz gezogen wurden und eine der Bretterwände nach außen fiel, stach das Winterlicht so hell in seine Augen, dass er fürchtete, sie nie wieder öffnen zu können. Er konnte es nach einer Weile doch, aber das Gefühl von stechender Helligkeit, das ihm selbst seine Nächte wie von einem strahlenden Licht erfüllt erscheinen ließ, blieb ihm noch lange über das Ende seiner Kriegsgefangenschaft hinaus erhalten und verschwand endgültig erst viele Jahre nach seiner Heimkehr.

Der Transport in ein Lager bei Woroschilowgrad dauerte sechs Tage, die Egger inmitten eines zusammengetriebenen Haufens Gefangener auf der offenen Ladefläche eines Lastwagens verbrachte. Es war eine schreckliche Reise. Sie führte durch kalte Tage und eisige Nächte, unter einem dunklen, von Geschützfeuern zerrissenen Himmel und über offene, weite Schneefelder, aus deren Furchen die steifgefrorenen Gliedmaßen von Menschen und Pferden ragten. Egger saß an der hinteren Rampenkante und sah die unzählbaren Holzkreuze, die den Weg säumten. Er dachte an das Leseheft, aus dem ihm Marie so oft vorgelesen hatte, und daran, wie wenig die darin beschriebene Winterlandschaft mit dieser vereisten, verwundeten Welt zu tun hatte.

Einer der Gefangenen, ein kleiner, untersetzter Mann, der seinen Kopf mit dem zerschlissenen Fetzen einer Pferdedecke vor der Kälte zu schützen versuchte, meinte, die Kreuze wären gar nicht so traurig, wie sie aussähen, sie seien einfach nur Wegweiser, die den direkten Weg in den Himmel zeigten. Der Mann hieß Helmut Moidaschl und lachte gerne. Er lachte über den Schnee, der ihnen ins Gesicht schlug, und er lachte über die ziegelharten Brotkanten, die man ihnen aus einem Sack auf die Ladefläche kippte. Mit dem Brot solle man lieber anständige Häuser bauen, meinte er und lachte so laut, dass ihre beiden russischen Bewacher in das Gelächter einfielen. Manchmal winkte er den alten Frauen zu, die die schneebedeckten Leichen nach brauchbaren Kleidungsstücken oder

Nahrung untersuchten. Wenn man schon zur Hölle fuhr, müsse man mit den Teufeln lachen, sagte er, das koste nichts und mache die ganze Sache erträglicher.

Helmut Moidaschl war der Erste aus einer langen Reihe, die Egger in Woroschilowgrad sterben sah. Schon in der Nacht nach ihrer Ankunft hatte ihn ein heftiges Fieber gepackt und in der Baracke waren stundenlang seine vom eigenen Deckenfetzen erstickten Schreie zu hören. Am nächsten Morgen fand man ihn tot in einer Ecke liegen, halbnackt, zusammengekrümmt und beide Fäuste an die Schläfen gepresst.

Nach wenigen Wochen hörte Egger auf, die Toten zu zählen, die in einem Birkenwäldchen hinter dem Lager begraben wurden. Der Tod gehörte zum Leben wie der Schimmel zum Brot. Der Tod war das Fieber. Er war der Hunger. Er war eine Ritze in der Barackenwand, durch die der Winterwind pfiff.

Egger war einem etwa hundertköpfigen Arbeitstrupp zugeteilt. Sie arbeiteten im Wald oder in der Steppe, schlugen Holz, errichteten niedrige Mauern aus Feldstein, halfen bei der Kartoffelernte oder begruben die Toten der vergangenen Nacht. Im Winter schlief er mit etwa zweihundert anderen Männern in der Baracke. Sobald es die Temperaturen zuließen, legte er sich draußen auf einen Haufen Stroh. Seit jemand in einer warmen Nacht versehentlich das elektrische Licht angemacht hatte und daraufhin Tausende Wanzen von der Decke gerieselt waren, schlief er lieber unter freiem Himmel.

Vom Ende des Krieges erfuhr Egger auf einer der Sammeltoiletten, wo er umschwirrt von einem Schwarm grünlich glänzender Fliegen auf einem Brett über der Sickergrube saß, als plötzlich die Tür aufgerissen wurde, ein Russe seinen Kopf hereinsteckte und »Hitler kaputt! Hitler kaputt!« brüllte. Da Egger ohne Erwiderung still sitzen blieb, schmiss der Russe die Tür wieder zu und ging lachend davon. Eine Weile war draußen sein leiser werdendes Gelächter zu hören, ehe das Geheul der Appellsirene losging.

Nicht einmal drei Wochen darauf hatte Egger die Euphorie des Wachmanns und seine damit verbundenen Hoffnungen wieder vergessen. Die Tatsache, dass der Krieg zu Ende war, war zwar unbestreitbar, hatte aber auf das Lagerleben keine wahrnehmbaren Auswirkungen. Die Arbeit blieb dieselbe, die Hirsesuppe war dünner denn je, und die Fliegen kreisten weiterhin unbeeindruckt um die Scheißhausbalken. Zudem glaubten viele der Gefangenen, dass das Kriegsende nur ein vorübergehendes sein konnte. Vielleicht sei Hitler ja tatsächlich kaputt, argumentierten sie, aber hinter jedem Wirrkopf stünde immer schon ein anderer, weit schlimmerer Wirrkopf bereit und es sei letztlich nur eine Frage der Zeit, bis alles wieder von vorne losginge.

In einer ungewohnt milden Winternacht saß Egger in seine Decke gewickelt vor der Baracke und schrieb einen Brief an seine tote Frau Marie. Er hatte bei Aufräumarbeiten in einem niedergebrannten Dorf ein fast unversehrtes Blatt Papier und einen Bleistiftstummel gefunden und schrieb langsam, mit großen, wackeligen Buchstaben:

Meine liebe Marie,
ich schreibe Dir aus Russland. Es ist nicht gar so schlecht hier. Es gibt Arbeit und was zu essen, und weil es keine Berge gibt, ist der Himmel weiter, als man schauen kann. Nur die Kälte ist schlimm. Es ist eine andere Kälte als zu Hause. Wenn ich nur ein einziges Petroleumsäckchen hätte, so wie ich damals so viele gehabt habe, wäre es schon gut. Aber ich will nicht klagen. Manch einer liegt steif und kalt im Schnee, während ich mir immer noch die Sterne anschaue. Vielleicht siehst Du die Sterne ja auch. Leider muss ich jetzt endigen. Ich schreibe nur langsam und hinter den Hügeln wird es schon hell.

Dein Egger

Er faltete den Brief so klein wie möglich zusammen und begrub ihn in der Erde zu seinen Füßen. Dann nahm er seine Decke und ging in die Baracke zurück.

Es dauerte fast sechs weitere Jahre, bis Eggers Zeit in Russland zu Ende ging. Nichts hatte die Befreiung angekündigt, doch an einem frühen Morgen im Sommer neunzehnhunderteinundfünfzig wurden die Gefangenen auf dem Barackenvorplatz zusammengetrieben, wo sie sich nackt ausziehen und ihre Kleider zu einem großen, stinkenden Haufen übereinanderwerfen mussten. Der Haufen wurde mit Benzin übergossen und angezündet, und während die Männer in die Flammen starrten, stand in ihren Gesichtern die Angst vor sofortiger Erschießung oder noch schlimmerem. Aber die Russen lachten und redeten laut durcheinander, und als einer von ihnen einen Gefangenen an den Schultern packte, ihn an sich drückte und mit diesem nackten, dürren Gespenst einen lächerlichen Paartanz ums Feuer vollführte, dämmerte es den meisten, dass dieser Morgen ein guter Morgen war.

Ausgestattet mit frischen Kleidungsstücken und je einem Kanten Brot, verließen die Männer noch in derselben Stunde das Lager, um sich auf den Marsch zur nächstgelegenen Bahnstation zu machen. Egger hatte sich in eine der hinteren Reihen verzogen. Direkt vor ihm ging ein junger Mann mit großen, stets etwas verschreckt blickenden Augen, der schon auf den ersten Metern mit gierigen Bissen sein Brot verschlang. Als er den letzten Brocken hinuntergeschluckt hatte, drehte er sich noch einmal um und warf einen Blick auf das Lager, das schon kilometerweit hinter ihnen lag und im Sonnenflimmern kaum noch zu erkennen war. Er grinste und öffnete den Mund, um etwas zu sagen, dabei kam aber nur ein würgender Laut heraus, und dann begann er zu weinen. Er heulte und schluchzte und die Tränen und der Rotz liefen ihm in breiten Schlieren über die schmutzigen Wangen. Einer der älteren Männer, ein großgewachsener Weißschopf mit verkrätztem Gesicht, trat an den Jungen heran, legte ihm den Arm um die bebenden Schultern und sagte, er solle doch gefälligst mit dieser Heulerei aufhören, denn erstens bringe sie einem persönlich nicht mehr als einen durchweichten Hemdkragen und zweitens sei das Geplärre ansteckend wie das Rossfieber und die Beulenpest zusammen und er habe keine Lust, den Heimweg von ein paar tausend Kilometern inmitten greinender Waschweiber hinter sich zu bringen. Obendrein sei es gescheiter, sich die Tränen für zu Hause aufzusparen, denn dort gäbe es noch Grund genug zum Heulen. Der junge Mann hörte auf zu weinen und Egger, der zwei Schritte hinter ihm ging, vernahm noch lange die trockenen Geräusche, mit denen er seine Tränen und die allerletzten Brotkrümel hinunterschluckte.

***

Die erste Zeit nach seiner Heimkehr wohnte Egger in einem Bretterverschlag hinter dem neu errichteten Schulhaus, den ihm die Gemeinde, gestützt vom Wohlwollen des Bürgermeisters, überlassen hatte. Der Bürgermeister war nun kein Nazi mehr, statt Hakenkreuzfähnchen hingen wieder Geranien vor den Fenstern und auch sonst hatte sich viel verändert im Dorf. Die Straße war breiter geworden. Mehrmals täglich und oft sogar in kurzen Abständen knatterten Motoren heran, und immer seltener waren es die stinkenden und rauchenden Dieselungetüme der alten Lastwagen. In allen Farben glänzende Automobile kamen durch den Taleingang herangesaust und spuckten auf dem Dorfplatz Ausflügler, Wanderer und Skifahrer aus. Viele der Bauern vermieteten Fremdenzimmer und aus den meisten Ställen waren die Hühner und Schweine verschwunden. Stattdessen standen jetzt Skier und Stöcke in den Koben und es roch nach Wachs statt nach Hühnerkacke und Schweinemist. Der Goldene Gamser hatte Konkurrenz bekommen. Jeden Tag ärgerte sich der Gamserwirt aufs Neue über das erst vor kurzem errichtete Gasthaus Zum Mitterhofer, das gegenüber mit seiner lindgrün getünchten Fassade und einem glänzenden Grüß-Gott-Schild über der Eingangstür prangte. Er hasste den alten Mitterhofer. Er wollte nicht begreifen, wie ein Kuhbauer ganz plötzlich auf die Idee kommen konnte, seine Mistgabel in die Ecke zu stellen und statt

Rindviecher nun Touristen bei sich einzuquartieren. »Ein Bauer ist ein Bauer und wird im Leben nie ein Wirt!«, meinte er, doch insgeheim musste er anerkennen, dass die Konkurrenz dem Geschäft nicht nur nicht schadete, sondern es im Gegenteil belebte. Als er schließlich in den späten Sechzigern als zerfahrener alter Mann starb, konnte er seiner einzigen Tochter neben dem Goldenen Gamser noch drei weitere Gästehäuser, mehrere Hektar Land, die Kegelbahn unter den Ställen des ehemaligen Loidolt-Hofes und eine Beteiligung an zwei Sesselliftbahnen vererben, was die unverheiratete und etwas verstockte Frau trotz ihres Alters von weit über vierzig plötzlich zu einer der begehrtesten Partien im Tal machte.

Egger nahm alle diese Veränderungen mit stiller Verwunderung hin. Nachts hörte er in der Ferne das metallische Knarren der Metallstreben entlang der Hänge, die jetzt Pisten hießen, und morgens wurde er oft vom Lärmen der Schulkinder hinter der Wand am Kopfende seines Bettes geweckt, das schlagartig abriss, sobald der Lehrer das Klassenzimmer betrat. Er erinnerte sich an seine eigene Kindheit, an die wenigen Schuljahre, die sich damals so unendlich lang vor ihm ausgebreitet hatten und die ihm jetzt kurz und flüchtig vorkamen wie Wimpernschläge. Überhaupt verwirrte ihn die Zeit. Die Vergangenheit schien sich in alle Richtungen zu krümmen und in der Erinnerung gerieten die Abläufe durcheinander beziehungsweise formten und gewichteten sich auf eigentümliche Weise immer wieder neu. Er hatte viel mehr Zeit in Russland verbracht als gemeinsam mit Marie, und doch schienen die Jahre im Kaukasus und in Woroschilowgrad kaum länger gewesen zu sein als die letzten Tage mit ihr. Die Zeit beim Seilbahnbau schrumpfte im Rückblick auf die Länge einer einzigen Saison zusammen, während es ihm vorkam, als hätte er sein halbes Leben über einer Ochsenstange hängend verbracht, mit Blick auf die Erde, den kleinen weißen Hintern gegen den Abendhimmel gereckt.

Ein paar Wochen nach seiner Rückkehr begegnete Egger dem alten Kranzstocker. Er saß auf einem wackeligen Melkhocker vor seinem Hof und Egger grüßte ihn beim Vorbeigehen. Kranzstocker hob langsam seinen Kopf und es dauerte eine Weile, bis er Egger erkannte. »Du bist es«, sagte er mit krächzender Altmännerstimme. »Ausgerechnet du!« Egger blieb stehen und betrachtete den Alten, der zusammengesunken dasaß und aus gelben Augen zu ihm aufblickte. Seine Hände lagen auf den Knien und waren dürr wie Ofenreisig, sein Mund stand halb offen und schien vollkommen zahnlos zu sein. Egger hatte gehört, dass zwei seiner Söhne nicht mehr aus dem Krieg zurückgekommen waren, worauf er versucht hatte, sich am Türstock zur Vorratskammer zu erhängen. Das brüchige Holz hatte sein Gewicht nicht gehalten und Kranzstocker überlebte. Fortan verbrachte der alte Bauer seine Zeit mit der Sehnsucht nach dem Tod. Er sah den Tod an jeder Ecke hocken, und abends war er sich sicher, dass sich mit der Dunkelheit auch die ewige Ruhe über ihn senken würde. Aber am nächsten Tag wachte er jedes Mal wieder auf, noch kränker, noch mürrischer und von seiner Sehnsucht zerfressener als zuvor.

»Komm her zu mir«, sagte er, den Kopf wie ein Huhn nach vorne gereckt. »Lass sehen, wie du ausschaust!« Egger machte einen Schritt auf ihn zu. Die Wangen des Alten waren eingefallen, und die Haare, die einst glänzend schwarz gewesen waren, hingen weiß und dünn wie Spinnweben von seinem Schädel. »Mit mir wird es bald ein Ende haben, der Tod übersieht niemanden«, sagte er. »Jeden Tag hör ich ihn schon ums Eck kommen, aber jedes Mal ist es nur ein Rindvieh vom Nachbarn oder ein Hund oder der Schatten von irgendeiner dahergeschlichenen Seele!« Egger stand wie angewurzelt. Für einen Moment hatte er das Gefühl, wieder ein Kind zu sein, und er hatte Angst, der alte Mann könnte aufstehen und sich zu einem Berg erheben. »Und heute bist es eben du«, fuhr der Bauer fort. »Einer wie du kommt einfach so ums Eck, und andere kommen nirgends mehr hin. So ist das mit der Gerechtigkeit. Ich war einmal der Kranzstocker, und jetzt schau mich an, was aus mir geworden ist:

ein Haufen morscher Knochen, in denen gerade noch so viel Leben steckt, dass sie nicht gleich auf der Stelle zu Staub zerbröseln. Mein Leben lang bin ich aufrecht gegangen, gebuckelt habe ich nur für den Herrgott und für sonst niemanden. Und wie dankt mir der Herrgott das? Indem er mir zwei Söhne nimmt. Indem er mir mein eigen Fleisch und Blut aus dem Körper reißt. Und weil er noch immer nicht genug hat, dieser Saukerl, weil er immer noch nicht den letzten Tropfen Leben herausgepresst hat aus so einem alten Bauernmenschen wie mir, lässt er mich jeden Tag von früh bis spät vor meinem Hof sitzen und auf den Tod warten. Und da sitz ich mir jetzt den Hintern wund, aber die Einzigen, die ums Eck kommen, sind ein paar Viecher und ein paar Schatten und du, ausgerechnet du!«

Kranzstocker blickte auf seine Hände hinunter, auf seine dürren, fleckigen Finger. Er atmete schwer und leise rasselnd. Plötzlich hob er den Kopf. Gleichzeitig schnellte eine Hand aus seinem Schoß heraus und packte Egger am Unterarm.

»Jetzt kannst du es haben!«, rief er mit vor Erregung bebender Stimme. »Jetzt kannst du mich schlagen! Schlag mich, hörst du? Ich bitt dich, schlag mich! Bitte schlag mich doch endlich tot!« Egger spürte, wie sich die Finger des Alten um seinen Arm krallten, und er fühlte einen eisigen Schrecken im Herzen. Er riss sich los und trat einen Schritt zurück. Kranzstocker ließ seine Hand sinken und saß still da, den Blick wieder auf den Boden gerichtet. Egger drehte sich um und ging.

Während er die Straße entlanglief, die kurz hinterm Dorf endete, hatte er ein eigentümliches Gefühl der Leere in der Magengegend. Tief in seinem Inneren tat ihm der alte Bauer leid. Er dachte an den Melkhocker und er wünschte ihm einen Stuhl und eine warme Decke, und gleichzeitig wünschte er ihm den Tod. Er ging weiter über den schmalen Höhensteig, bis ganz hinauf zur Pichlersenke. Hier oben war der Boden weich und das Gras stand dunkel und kurz. An den Spitzen der Halme zitterten Wassertropfen und ließen die ganze Wiese glitzern, als wäre sie mit Glasperlen übersät. Egger wunderte sich über diese winzigen, zittrigen Tropfen, die so hartnäckig an den Grashalmen hingen, nur um doch irgendwann herunterzufallen und in der Erde zu versickern oder sich in der Luft in nichts aufzulösen.

Kranzstocker fand seine Erlösung erst viele Jahre später, an einem Herbsttag Ende der Sechzigerjahre, als er wie ein Schatten in seiner Kammer saß und Radio hörte. Um überhaupt noch etwas verstehen zu können, hatte er seinen Oberkörper weit über den Tisch gebeugt und hielt sein linkes Ohr an den Lautsprecher gepresst. Als der Sprecher eine Sendung mit einem Blasmusikkonzert ansagte, schrie der Alte plötzlich auf, schlug sich mit der Faust mehrmals gegen seinen Brustkorb und rutschte schließlich, begleitet vom blechernen Rhythmus der Musik, steif und tot vom Stuhl.

Während des Begräbnisses schüttete es wie aus Kübeln und der Leichenzug kam auf der von knöcheltiefem Matsch überfluteten Straße nur langsam voran. Egger, zu dieser Zeit selbst schon ein Mann von über sechzig Jahren, ging in der hintersten Reihe. Er dachte an den Bauern, der ein Leben lang sein eigenes Glück vor sich her geprügelt hatte. Als sie im dichten Regen an der kleinen Wirtschaft des ehemaligen Achmandl-Hofes vorbeikamen, drang laut und mit merkwürdiger Klarheit das Lachen eines Kindes heraus. Eines der Fenster stand einen Spalt offen und flimmerte hell. In der Stube saß der kleine Sohn des Wirts vor einem riesigen Fernsehgerät, das Gesicht ganz nah am Bildschirm. Über seine Stirn flackerte der Widerschein der Fernsehbilder, mit einer Hand hielt er die Antenne umklammert, während er sich mit der anderen vor Lachen auf die Schenkel schlug. Er lachte so sehr, dass Egger durch den Regenschleier die glitzernden Spucketröpfchen erkennen konnte, die gegen die Mattscheibe sprühten. Er verspürte Lust, stehen zu bleiben, seine Stirn gegen das Fenster zu lehnen und mitzulachen. Doch der Leichenzug bewegte sich weiter, dunkel und stumm. Egger sah vor sich die hochgezogenen

Schultern der Trauernden, an denen der Regen in schmalen Rinnsalen hinablief. Ganz vorne schaukelte der Sargwagen wie ein Schiff in der beginnenden Dämmerung, während hinter ihnen das Lachen des Kindes immer leiser wurde.

Obwohl Egger in seinem Leben diesbezüglich manche Überlegungen angestellt hatte, schaffte er sich nie ein Fernsehgerät an. Meistens hatte er kein Geld oder keinen Platz oder keine Zeit und insgesamt schien ihm, als fehlten ihm sowieso alle nötigen Voraussetzungen für eine derartige Investition. Zum Beispiel konnte er kaum das Beharrungsvermögen aufbringen, mit dem die meisten anderen Menschen stundenlang in das Flimmern hineinstarrten, von dem er insgeheim annahm, es könne einem auf Dauer das Augenlicht trüben und das Hirn aufweichen. Und doch bescherte ihm das Fernsehen zwei eindrückliche Momente, die er später immer wieder aus den Tiefen seines Gedächtnisses hervorkramte und mit einem wohligen Erinnerungsschrecken betrachtete. Den ersten davon erlebte er eines Abends im Hinterzimmer des Goldenen Gamser, in dem seit einiger Zeit ein nagelneues Fernsehgerät der Marke Imperial stand. Egger war schon seit Monaten nicht mehr im Wirtshaus gewesen und dementsprechend überrascht, als ihm beim Eintreten statt des üblichen Gastraumgemurmels die etwas blechernen und von einem leisen Rauschen unterlegten Fernsehstimmen entgegentönten. Er ging nach hinten, wo sieben oder acht Leute auf die Tische verteilt saßen und gebannt in das schrankgroße Gerät hineinstarrten. Zum ersten Mal in seinem Leben sah Egger die Fernsehbilder aus nächster Nähe. Mit magischer Selbstverständlichkeit bewegten sie sich vor seinen Augen und trugen eine Welt in das stickige Hinterzimmer des Goldenen Gamser, von der er bislang nicht die geringste Vorstellung gehabt hatte. Er sah schmale, hoch aufragende Häuser, deren Dächer wie verkehrte Eiszapfen in den Himmel ragten. Aus den Fenstern schneite es Papierschnipsel und die Menschen in den Straßen lachten, schrien, schleuderten ihre Hüte in die Luft und schienen überhaupt ganz verrückt vor Freude zu sein. Ehe Egger das alles begreifen konnte, wurde der Bildschirm wie von einer lautlosen Explosion auseinandergerissen, schloss sich jedoch kaum eine Sekunde darauf wieder zu einer völlig neuen Szene zusammen. Auf einigen Holzbänken saßen Männer in kurzen Hemden und Arbeitsoveralls und beobachteten ein dunkelhäutiges, etwa zehnjähriges Mädchen, das in einem Käfig kniete und die Mähne eines vor ihr ausgestreckten Löwen kraulte. Das Tier gähnte und man konnte in sein von dünnen Speichelschnüren durchzogenes Maul blicken. Das Publikum applaudierte, das Mädchen schmiegte sich an den Körper des Löwen und für einen Augenblick sah es aus, als würde sie in seiner Mähne verschwinden. Egger lachte. Er tat das eher aus Verlegenheit, denn er hatte keine Ahnung, wie man sich in Gegenwart der anderen vor dem Fernsehgerät verhalten sollte. Er schämte sich für seine Unwissenheit. Er kam sich vor wie ein Kind, das den unbegreiflichen Unternehmungen Erwachsener zusieht: Alles war irgendwie interessant, aber nichts davon schien ihn persönlich anzugehen.

Doch dann sah er etwas, das ihn in der Tiefe seines Herzens traf. Aus einem Flugzeug stieg eine junge Frau. Es war nicht irgendeine Frau, die da die schmale Treppe zur Rollbahn hinablief, es war das schönste Wesen, das Egger in seinem Leben gesehen hatte. Sie hieß Grace Kelly, ein Name, der in seinen Ohren fremd und unerhört klang, der ihm jedoch gleichzeitig der einzig passende zu sein schien. Sie trug einen kurzen Mantel und winkte einer zusammengedrängten Menschenmenge zu, die sich auf dem Flugfeld versammelt hatte. Eine Handvoll Reporter stürzte herbei, und während sie deren atemlos hervorgestoßene Fragen beantwortete, floss das Sonnenlicht über ihr blondes Haar und über ihren schmalen, glatten Hals. Egger erschauerte bei dem Gedanken, dass dieses Haar und dieser Hals nicht bloß Einbildung waren, sondern dass es irgendwo auf dieser Welt vielleicht jemanden gab, der sie mit den Fingern berührt hatte oder vielleicht sogar mit der ganzen Hand darübergestrichen war. Grace Kelly winkte noch einmal, dabei lachte sie mit weit geöffnetem, dunklem Mund. Egger stand auf und verließ das Gasthaus. Eine Weile ging er ziellos in den Dorfstraßen umher, ehe er sich schließlich auf die Treppe vor dem Eingang zur Kapelle setzte. Er blickte auf die von unzähligen Sündergenerationen plattgetretene Erde und wartete darauf, dass sich sein Herz wieder beruhigte. Grace Kellys Lächeln und die Traurigkeit, die in ihren Augen lag, hatten seine Seele aufgewühlt und er verstand nicht, was in ihm vorging. Lange saß er so da, ehe ihm irgendwann nach Einbruch der Dunkelheit bewusst wurde, wie kalt es war, und er nach Hause ging.

Das war Ende der Fünfzigerjahre. Erst viel später, nämlich im Sommer neunzehnhundertneunundsechzig, hatte Egger ein weiteres, wenn auch auf völlig andere Weise eindrückliches Erlebnis mit dem Fernsehen, das zu jener Zeit in den meisten Haushalten schon den Mittelpunkt und hauptsächlichen Sinn der abendlichen Familienzusammenkünfte bildete. Diesmal saß er gemeinsam mit fast einhundertfünfzig anderen Dorfbewohnern im Versammlungssaal des neuen Gemeindehauses und sah zu, wie zwei junge Amerikaner zum ersten Mal den Mond betraten. Fast während der ganzen Übertragung herrschte gespannte Ruhe im Saal, doch kaum hatte Neil Armstrong seinen Fuß auf den staubigen Mondboden gesetzt, brachen alle in Jubel aus, und es war, als ob zumindest für ein paar Augenblicke irgendeine Last von den schweren Bauernschultern rutschte. Danach gab es Freibier für die Erwachsenen und Saft und Krapfen für die Kinder und ein Mitglied des Gemeinderats sprach in einer kurzen Rede von den ungeheuren Anstrengungen, die solch Wunderwerke erst möglich machten und die Menschheit wahrscheinlich noch werweißwohin treiben würden. Egger klatschte wie alle anderen Beifall, und während sich vorne im Fernsehgerät immer noch die geisterhaften Erscheinungen der Amerikaner bewegten, die unbegreiflicherweise gerade in diesem Moment hoch über ihren Köpfen über die Mondoberfläche spazierten, fühlte er sich den Dorfbewohnern hier unten auf der nachtdunklen Erde, im Saal des immer noch nach frischem Mörtel riechenden Gemeindehauses, auf geheimnisvolle Weise nah und verbunden.

Noch am Tag seiner Rückkehr aus Russland hatte Egger sich auf den Weg ins Lager der Firma Bittermann & Söhne gemacht. Hätte er vorher jemanden gefragt, hätte er sich den Gang sparen können. Die Baracken waren verschwunden. Das Lager war aufgelöst. Da und dort deutete noch ein Flecken Beton oder ein unkrautüberwucherter Holzbalken darauf hin, dass hier einst Menschen gearbeitet und gelebt hatten. An der Stelle, wo der Prokurist hinter seinem Schreibtisch gesessen hatte, blühten nun kleine weiße Blumen.

Im Dorf erfuhr Egger, dass das Unternehmen gleich nach Kriegsende pleitegegangen war. Schon ein Jahr zuvor waren die letzten verbliebenen Arbeiter abgezogen worden, da die Firma dem damals schon recht verzweifelten Ruf des Vaterlandes gefolgt war und die Produktion von Stahlträgern und Doppelseilwinden auf Waffen umgestellt hatte. Der alte Bittermann, ein glühender Patriot, der schon im Ersten Weltkrieg einen Unterarm und einen Splitter seines rechten Jochbeines in einem Graben an der Westfront gelassen hatte, setzte insbesondere auf die Fabrikation von Karabinerläufen und Kugelgelenken für Sturmgeschütze. Die Gelenke waren in Ordnung, doch ein Teil der Magazine verzog sich bei großer Hitze, was an der Front zu einigen schrecklichen Unfällen führte und den alten Bittermann schließlich zu der Überzeugung brachte, eine nicht unerhebliche Mitschuld am verlorenen Krieg zu tragen. Er erschoss sich in einem Waldstück hinter seinem Haus, sicherheitshalber mit dem alten Jagdgewehr seines Vaters. Als der Förster seine Leiche unter einem verwachsenen Wildapfelbaum fand, glänzte ihm aus dem zerschossenen Schädel die Metallplatte mit dem eingravierten Datum *23.11.1917* entgegen.

Die Seilbahnen wurden nun von anderen Gesellschaften gebaut und betrieben, doch überall, wo Egger sich vorstellte, schickte man ihn wieder weg. Er sei nicht mehr ganz der Richtige, hieß es. Die wenigen Jahre nach dem Krieg hätten genügt, viele der alten Arbeitsabläufe zu überrollen, weshalb es für einen wie ihn bedauerlicherweise keinen Platz mehr gäbe in der Welt der modernen Verkehrstechnik.

Zu Hause saß Egger abends auf dem Bettrand und betrachtete seine Hände. Schwer und dunkel wie Moorerde lagen sie in seinem Schoß. Die Haut war ledrig und zerfurcht wie die Haut eines Tieres. Die vielen Jahre im Fels und im Wald hatten Narben hinterlassen, und jede einzelne dieser Narben hätte vom Missgeschick, vom Bemühen oder vom Gelingen erzählen können, wenn Egger sich an ihre Geschichte hätte erinnern können. Seit der Nacht, als er im Schnee nach Marie gegraben hatte, waren seine Fingernägel rissig und an den Rändern eingewachsen. Einer der Daumennägel war schwarz und hatte eine kleine Delle in der Nagelmitte. Egger hob seine Hände nah ans Gesicht und betrachtete die Haut an seinem Handrücken, die an manchen Stellen aussah wie zerknülltes Leinen. Er sah die Schwielen an den Fingerkuppen und die knotigen Wulste an den Knöcheln. In den Ritzen und Rillen hatte sich Schmutz festgesetzt, dem weder Pferdebürste noch Kernseife etwas anhaben konnten. Egger sah, wie sich die Adern unter der Haut abbildeten, und wenn er die Hände gegen das Dämmerlicht im Fenster hob, konnte er sehen, dass sie ganz leicht zitterten. Es waren die Hände eines alten Mannes und er ließ sie sinken.

Eine Zeitlang lebte Egger vom staatlichen Entlassungsgeld für Kriegsheimkehrer. Da das Geld aber gerade nur für das Nötigste reichte, sah er sich gezwungen, wie einst als junger Mann alle möglichen Gelegenheitsarbeiten anzunehmen. Wie damals kroch er in Kellern und im Heu herum, wuchtete Kartoffelsäcke, rackerte sich auf dem Feld ab oder mistete die verbliebenen Rinder- und Schweineställe aus. Immer noch konnte er mit seinen jüngeren Kollegen mithalten und an manchen Tagen ließ er sich das Heu zu beeindruckenden Dreimeterhaufen auf den Rücken packen und stapfte damit langsam und wankend die steilen Futterwiesen hinab. Am Abend jedoch fiel er ins Bett und war überzeugt, sich nie wieder aus eigener Kraft daraus erheben zu können. Sein schiefes Bein war mittlerweile ums Knie herum fast taub und in seinem Nacken gab es jedes Mal, wenn er den Kopf auch nur einen Zentimeter zur Seite drehte, einen Stich, der sich wie ein glühender Faden bis in seine Fingerspitzen zog, was ihn dazu zwang, auf dem Rücken liegend und völlig bewegungslos auf den Schlaf zu warten.

An einem Sommermorgen im Jahre neunzehnhundertsiebenundfünfzig kroch Egger schon lange vor Sonnenaufgang aus seinem Bett und ging ins Freie. Seine Schmerzen hatten ihn aus dem Schlaf getrieben, und die Bewegung in der kühlen Nachtluft tat ihm gut. Er ging auf dem Geißensteig entlang der unterm Mondlicht sanft geschwungenen Gemeindemahdwiesen, umrundete die beiden Felsbrocken, die wie die Rücken schlafender Tiere aufragten, und gelangte schließlich nach einem fast einstündigen Aufstieg durch immer unwegsameres Gelände zwischen die Steinformationen unterhalb der Klufterspitze. Mittlerweile kündigte sich der Tag an und in der Ferne begannen die schneebedeckten Gipfel zu glühen. Egger wollte sich eben setzen, um mit seinem Klappmesser ein Stück von seiner eingerissenen Ledersohle zu schneiden, als hinter einem Felsen ein alter Mann auftauchte und mit ausgebreiteten Armen auf ihn zukam. »Mein lieber, lieber Herr!«, rief er. »Sie sind doch ein wirklicher Mensch, oder?«

»Ich glaub schon«, sagte Egger und sah, wie eine zweite Gestalt, eine alte Frau, hinter dem Felsen hervorgestolpert kam. Die beiden sahen erbärmlich aus, verwirrt und zittrig vor Erschöpfung und Kälte.

Der Mann, der im Begriff war, auf Egger zuzustürzen, sah das Messer in seiner Hand und blieb stehen.

»Sie wollen uns doch nicht etwa umbringen?«, sagte er entsetzt.

»Gott im Himmel, sei uns gnädig«, murmelte die Frau hinter ihm.

Egger steckte wortlos das Messer weg und blickte in die Gesichter der beiden alten Leute, die ihn mit weit aufgerissenen Augen anstarrten.

»Mein lieber Herr«, wiederholte der Mann und es sah aus, als würde er gleich in Tränen ausbrechen. »Die ganze Nacht gehen wir schon in dieser Gegend umher, in der es nichts als Steine gibt!«

»Nichts als Steine!«, pflichtete ihm die Frau bei.

»Mehr Steine als Sterne am Himmel!«

»Gott im Himmel, sei uns gnädig.«

»Wir haben uns verlaufen.«

»Wo man auch hinsieht, nur dunkle, kalte Nacht!«

»Und Steine!«, sagte der alte Mann, und jetzt kamen ihm tatsächlich ein paar Tränen, die nacheinander an seiner Wange und an seinem Hals hinabliefen. Seine Frau blickte Egger flehend in die Augen.

»Mein Mann wollte sich schon zum Sterben hinlegen.«

»Wir heißen Roskovics«, sagte der Alte, »und sind seit achtundvierzig Jahren verheiratet. Das ist fast ein halbes Jahrhundert. Da weiß man, was man aneinander hat und was man füreinander ist, verstehen Sie das, mein Herr?«

»Nicht so richtig«, sagte Egger. »Außerdem bin ich

kein Herr. Aber wenn Sie wollen, kann ich Sie jetzt hinunterbringen.«

Nachdem sie im Dorf angekommen waren, bestand Herr Roskovics darauf, den widerstrebenden Egger in seine Arme zu schließen.

»Danke!«, sagte er gerührt.

»Ja, danke!«, wiederholte seine Frau.

»Danke! Danke!«

»Ist ja gut«, sagte Egger und trat einen Schritt zurück. Während des Weges von der Klufterspitze hinunter hatten sich die Ängstlichkeit und die Verzweiflung der beiden schnell aufgelöst, und als die ersten Sonnenstrahlen ihre Gesichter wärmten, schien mit einem Mal auch ihre Müdigkeit wie weggeblasen. Egger hatte ihnen gezeigt, wie sie den Morgentau vom Berggras schlürfen konnten, um ihren Durst zu stillen, und fast die ganze Zeit waren sie wie Kinder plappernd hinter ihm her marschiert.

»Wir wollten Sie fragen«, sagte Roskovics, »ob Sie uns nicht ein paar Wege zeigen könnten. Sie scheinen die Gegend ja zu kennen wie den eigenen Vorgarten.«

»Für unsereins ist so eine Gebirgstour schließlich kein Spaziergang!«, pflichtete ihm seine Frau bei.

»Nur für ein paar Tage. Einfach rauf auf den Berg und wieder runter. Über die Bezahlung müssen Sie sich keine Gedanken machen, man will sich ja nichts nachsagen lassen. Also, wie sieht es aus?«

Egger dachte an die bevorstehenden Tage. Ein paar Meter Brennholz mussten gehackt und ein im Regen abgerutschtes Kartoffelfeld sollte neu beackert werden. Mit Grausen dachte er an die Pflugsterzen in seinen Händen, vor denen auch die härtesten Schwielen keinen Schutz boten und die nach wenigen Stunden unter den Fingern zu glühen begannen.

»Ja«, sagte er. »Das könnte was werden.«

Eine ganze Woche lang führte Egger die beiden alten Leute über immer schwierigere Pfade und zeigte ihnen die Schönheiten der Gegend. Die Arbeit machte ihm Freude. Das Gehen im Gelände fiel ihm leicht und die Bergluft blies ihm die trüben Gedanken aus dem Kopf. Außerdem wurde für seine Begriffe angenehm wenig geredet, einerseits, weil es sowieso nicht viel zu reden gab, andererseits, weil die beiden hinter ihm zu atemlos waren, um ihren leise pfeifenden Lungen unnötige Worte zu entringen.

Nach Ablauf der Woche verabschiedete sich das Ehepaar überschwänglich und Herr Roskovics steckte Egger ein paar Scheine in die Jackentasche. Er und seine Frau hatten feuchte Augen, als sie schließlich in ihr Auto stiegen und über die am frühen Morgen noch neblige Straße in Richtung Heimat verschwanden.

Egger hatte Gefallen an der neuen Aufgabe gefunden. Mit einem selbstgemalten Schild, das seiner Meinung nach die unerlässlichsten Informationen enthielt und gleichzeitig auch irgendwie interessant genug war, um die Touristen für seine Dienste einzunehmen, postierte er sich direkt neben den Brunnen auf dem Dorfplatz und wartete.

WENN SIE DIE BERGE MÖGEN
SIND SIE BEI MIR RICHTIG.

Ich (praktisch lebenslange Erfahrung
in der Natur) biete:

Wanderungen mit oder ohne Gepäck
Ausflüge (halber oder ganzer Tag)
Kletterpartien
Bergspaziergänge (für ältere Herrschaften,
Versehrte und Kinder)
Führungen zu allen Jahreszeiten (wenn das
Wetter passt)
Garantierte Sonnenaufgänge für Frühaufsteher
Garantierte Sonnenuntergänge (nur im Tal,
da auf dem Berg zu gefährlich)

Keine Gefahr für Leib und Seele!

(PREIS IST VERHANDLUNGSSACHE,
ABER NICHT TEUER)

Offenbar machte das Schild Eindruck, denn von Anfang an liefen die Geschäfte gut, so dass Egger keine Veranlassung sah, die alten Handlangerdienste wiederaufzunehmen. Wie früher stand er oft noch im Dunkeln auf, nur ging er jetzt statt auf den Acker hoch auf die Berge und beobachtete die aufgehende Sonne. Im Widerschein ihres ersten Lichts wirkten die Gesichter der Touristen, als würden sie von innen heraus glühen, und Egger sah, dass sie glücklich waren.

Im Sommer führten seine Touren oft weit über die nächstgelegenen Bergkämme hinweg, während er sich im Winter zumeist auf kürzere, mit den breiten Schneeschuhen jedoch kaum weniger anstrengende Spaziergänge beschränkte. Immer ging er voran, mögliche Gefahren im Blick und das Keuchen der Touristen im Rücken. Er mochte diese Leute, auch wenn manche von ihnen versuchten, ihm die Welt zu erklären, oder sich sonst irgendwie idiotisch aufführten. Er wusste, dass spätestens während eines zweistündigen Aufstiegs ihre Arroganz mit dem Schweiß auf ihren heißen Köpfen verdunsten würde, bis nichts mehr blieb als die Dankbarkeit, es geschafft zu haben, und eine knochentiefe Müdigkeit.

Manchmal kam er an seinem alten Grundstück vorbei. An der Stelle, wo einst sein Haus gestanden hatte, hatte sich das Geröll im Laufe der Jahre zu einer Art Wall aufgeschichtet. Zwischen den Steinbrocken leuchtete im Sommer der weiße Mohn hervor und im Winter sprangen die Kinder mit ihren Skiern darüber. Egger konnte beobachten, wie sie den Hang heruntergesaust kamen, mit einem Juchzer abhoben und für einen Augenblick durch die Luft segelten, ehe sie geschickt landeten oder wie bunte Knäuel durch den Schnee kugelten. Er dachte an die Türschwelle, auf der er und Marie an so vielen Abenden gesessen hatten, und an das Gattertürchen mit dem einfachen Hakenschloss, das er aus einem langen Stahlnagel zurechtgebogen hatte. Nach der Lawine war das Gatter einfach verschwunden, wie so viele andere Dinge, die nach der Schneeschmelze nicht mehr aufgetaucht waren. Sie waren einfach weg, als ob sie nie existiert hätten. Egger fühlte, wie die Traurigkeit in seinem Herzen hochstieg. Er fand, es hätte noch so viel zu tun gegeben in ihrem Leben, viel mehr wahrscheinlich, als er sich vorstellen konnte.

Meistens schwieg Egger während seiner Touren. »Wem das Maul aufgeht, dem gehen die Ohren zu«, hatte Thomas Mattl immer gesagt, und Egger teilte diese Ansicht. Statt zu reden, hörte er lieber den Leuten zu, deren atemloses Geplapper ihn in die Geheimnisse fremder Schicksale und Ansichten einführte. Offenbar suchten die Menschen in den Bergen etwas, von dem sie glaubten, es irgendwann vor langer Zeit verloren zu haben. Er kam nie dahinter, um was es sich dabei genau handelte, doch wurde er sich mit den Jahren immer sicherer, dass die Touristen im Grunde genommen weniger ihm als irgendeiner unbekannten, unstillbaren Sehnsucht hinterherstolperten.

Einmal, während einer kurzen Rast am Zwanzigerkogel, packte ihn ein vor Ergriffenheit bebender junger Mann an den Schultern und schrie ihn an: »Sehen Sie denn nicht, wie wunderschön das alles hier ist!« Egger blickte in das von Glückseligkeit verzerrte Gesicht und sagte: »Schon, aber gleich wird es regnen, und wenn die Erde zu rutschen anfängt, ist es vorbei mit der ganzen Schönheit.«

Nur ein einziges Mal während seiner Tätigkeit als Bergführer wäre Egger beinahe eine Touristenseele verlorengegangen. Das war an einem Frühlingstag irgendwann in den späten Sechzigerjahren, in der Nacht war der Winter noch einmal zurückgekehrt, und Egger wollte mit einer kleinen Gruppe den Panoramaweg oberhalb der neuen Viersesselbahn gehen. Als sie den Steg über der Häuslerklamm passierten, rutschte eine dicke Frau auf dem nassen Holz aus und verlor das Gleichgewicht. Egger, der direkt vor ihr ging, sah aus den Augenwinkeln, wie sie mit ihren Armen wedelte und wie sich eines ihrer Beine hob, als würde es an einer unsichtbaren Schnur in die Höhe gezogen. Unterm Steg ging es zwanzig Meter in die Tiefe. Während er zu ihr stürzte, hatte er ihr Gesicht im Blick, das sich wie von einer tiefen Ehrfurcht ergriffen immer weiter nach hinten neigte. Er hörte das Knirschen des Holzes, als sie mit dem Rücken aufprallte. Im letzten Moment, ehe sie über den Begrenzungsbalken in den Abgrund rutschen konnte, bekam er sie mit einer Hand am Fußgelenk zu fassen, und noch während er sich über das ungewohnt weiche Fleisch unter seinen Fingern wunderte, erwischte er sie mit der anderen Hand am Ärmel und zog sie auf den Steg zurück, wo sie still liegen blieb und mit Verwunderung die Wolken zu betrachten schien.

»Das wäre jetzt beinahe schlimm ausgegangen, oder?«, sagte sie. Dabei nahm sie Eggers Hand, legte sie an ihre Wange und lächelte ihn an. Egger nickte erschrocken. Die Haut ihrer Wange war feucht. Unter seiner Handfläche spürte er ein kaum wahrnehmbares Zittern und die Berührung kam ihm irgendwie ungehörig vor. Er musste an ein Erlebnis aus seiner Kindheit denken. Er war damals vielleicht elf Jahre alt gewesen, der Bauer hatte ihn mitten in der Nacht aus dem Bett geholt, er sollte ihm bei einer Kalbsgeburt helfen. Seit Stunden mühte sich die Kuh ab, ging unruhig im Kreis umher und rieb sich die Schnauze an der Wand blutig. Schließlich stieß sie ein dumpfes Geräusch aus und legte sich seitlich ins Stroh. Im flackernden Licht der Petroleumlampe sah der kleine Egger, wie sie mit ihren Augen rollte und wie ein zäher Schleim aus ihrer Spalte floss. Als die Vorderbeine des Kalbs zum Vorschein kamen, stand der Bauer, der die ganze Zeit schweigend auf seinem Schemel gesessen hatte, auf und krempelte sich die Ärmel hoch. Aber das Kalb bewegte sich nicht weiter und die Kuh lag ruhig da. Plötzlich hob sie ihren Kopf und begann zu brüllen. Es war ein Ton, der Egger das kalte Grauen ins Herz trieb. »Das ist hinüber!«, sagte der Bauer, und gemeinsam zerrten sie das tote Kalb aus dem Körper seiner Mutter. Egger hatte den Hals zu fassen gekriegt. Das Fell war weich und nass, und für einen kurzen Moment glaubte er einen Pulsschlag zu spüren, ein einzelnes Pochen unter seinen Fingern. Er hielt den Atem an, doch es folgte nichts mehr und der Bauer trug den schlaffen Körper ins Freie. Draußen graute schon der Morgen, der kleine Egger stand im Stall, reinigte den Boden, rieb das Fell der Kuh mit Stroh ab und dachte an das Kalb, dessen Leben nur einen einzigen Herzschlag gedauert hatte.

Die dicke Frau lächelte. »Ich glaube, es ist alles ganz geblieben«, sagte sie. »Nur der Schenkel tut ein bisschen weh. Jetzt können wir beide nebeneinander ins Tal hinunterhinken.«

»Nein«, sagte Egger und stand auf. »Ein jeder hinkt für sich allein!«

Nach Maries Tod hatte Egger zwar hin und wieder unbeholfene Touristinnen über einen Wildbach gehoben oder an der Hand über einen rutschigen Felsgrat gezogen, ansonsten aber hatte er keine Frau mehr als nur flüchtig berührt. Es war schwer genug gewesen, sich wieder einigermaßen im Leben einzurichten, und auf keinen Fall wollte er die Ruhe, die sich über die Jahre in ihm ausgebreitet hatte, wieder einbüßen. Im Grunde genommen hatte er schon Marie kaum verstanden, und alle anderen Frauen blieben ihm erst recht ein Rätsel. Er wusste nicht, was sie wollten oder nicht wollten, und vieles von dem, was sie in seiner Gegenwart sagten und taten, verwirrte ihn, machte ihn wütend oder versetzte ihn in eine Art innerer Starre, aus der er nur schwer wieder herausfand. Einmal drängte ihm im Goldenen Gamser eine Saisonarbeiterin ihren schweren, nach Küche riechenden Körper entgegen und flüsterte ihm einige feuchte Worte ins Ohr, die ihn derartig durcheinanderbrachten, dass er, ohne seine Suppe zu bezahlen, aus dem Wirtshaus stürmte und zur Beruhigung die halbe Nacht über die gefrorenen Hänge stapfte.

Solche Momente waren immer wieder imstande, seine Seele aufzurühren, doch wurden sie mit jedem Jahr seltener und blieben schließlich ganz aus. Er selbst war darüber nicht unglücklich. Er hatte eine Liebe gehabt und sie wieder verloren. Fortan würde ihm nichts Vergleichbares mehr geschehen, das galt für ihn als abgemacht. Und der Kampf mit der Lust, die immer noch und immer wieder in ihm aufbrandete, war ein Kampf, den er bis zum Schluss ganz allein mit sich selbst auszutragen gedachte.

Anfang der Siebzigerjahre erlebte Andreas Egger allerdings noch einmal ein Abenteuer, das seinem Verlangen, den Rest seines Lebens alleine zu verbringen, wenigstens für die kurze Dauer einiger Herbsttage entgegenstand. Seit kurzem war ihm aufgefallen, dass sich die Stimmung im Klassenzimmer hinter seiner Bettwand verändert hatte. Das übliche Geschrei der Kinder war lauter geworden und ihre ohnehin stets von befreitem Jubel begleiteten Ausbrüche zur Pausenglocke wirkten nun wie von jeder Hemmung losgelöst. Der Grund für dieses neu erworbene, lärmende Selbstbewusstsein der Schüler war ganz offensichtlich die Pensionierung des Dorfschullehrers, der den größten Teil seines Lebens damit zugebracht hatte, Generationen von Bauernkindern wenigstens die elementarsten Grundlagen des Lesens und Rechnens in ihre denkfaulen, kaum jemals über den Augenblick hinausgewandten Köpfe einzupflanzen, nötigenfalls mithilfe seines eigenhändig gedrehten Ochsenschwanzprügels. Der alte Lehrer öffnete nach seiner letzten Schulstunde das Fenster, kippte die Schachtel mit den restlichen Kreidestückchen ins Rosenbeet und kehrte dem Dorf noch am selben Tag den Rücken, was die Mitglieder des Gemeinderats bestürzte, zumal sich so schnell kein Nachfolger würde auftreiben lassen, der scharf darauf war, seine Laufbahn zwischen Herden von Kühen und Skifahrern voranzutreiben. Eine Lösung des Problems fand sich in Gestalt Anna Hollers, einer schon seit Jahren pensionierten Lehrerin aus dem Nachbartal, die das Angebot, vorübergehend den Unterricht zu übernehmen, mit stiller Dankbarkeit annahm. Anna Holler hatte andere Ideen von Erziehung als ihr Vorgänger, sie vertraute auf die inneren Entfaltungskräfte der Kinder und hängte den alten Ochsenschwanz draußen an die Schulhausmauer, wo er über die Jahre verwitterte und dem wilden Efeu als Kletterhilfe diente.

Egger hingegen hielt nichts von der neuartigen Pädagogik. Eines Morgens stand er auf und ging hinüber.

»Entschuldigen Sie, aber es ist zu laut. Ein Mann braucht schließlich seine Ruhe.«

»Wer um Gottes willen sind Sie?«

»Ich heiße Egger und wohne nebenan. Das Bett müsste ungefähr hier stehen, gleich hinter der Tafel.«

Die Lehrerin trat einen Schritt auf ihn zu. Sie war mindestens eineinhalb Köpfe kleiner als er, doch mit den Kindern im Rücken, die Egger aus ihren Sitzreihen entgegenstarrten, wirkte sie bedrohlich und zu keinerlei Kompromissen bereit. Gerne hätte er noch etwas gesagt, stattdessen blickte er stumm aufs Linoleum hinunter.

Er kam sich plötzlich dumm vor, wie er da stand: ein alter Mann mit lächerlichen Beschwerden, den selbst kleine Kinder mit unverblümter Verwunderung anstarren konnten.

»Seine Nachbarn kann man sich nicht aussuchen«, sagte die Lehrerin, »aber eines steht fest: Sie sind ein ungehobelter Klotz! Platzen mitten in meine Unterrichtsstunde herein, ungebeten, ungekämmt, unrasiert und obendrein noch in einer Unterhose, oder was soll das sein, was Sie da anhaben?«

»Eine Schlafhose«, murmelte Egger, der bereits bitter bereute, herübergekommen zu sein. »Nur eben schon ein paarmal geflickt.«

Anna Holler seufzte. »Sie verlassen jetzt auf der Stelle mein Klassenzimmer«, sagte sie. »Und wenn Sie sich gewaschen, rasiert und ordentlich angezogen haben, dürfen Sie meinetwegen wiederkommen!«

Egger kam nicht mehr wieder. Er würde sich mit dem Lärm abfinden oder sich bei Bedarf Moos in die Ohren stopfen, damit war die Sache für ihn erledigt. Und wahrscheinlich wäre es dabei auch geblieben, hätte es nicht am darauffolgenden Sonntag dreimal laut an seiner Tür geklopft. Draußen stand Anna Holler mit einem Kuchen in den Händen.

»Ich dachte, ich bringe Ihnen etwas zu essen«, sagte sie. »Wo steht der Tisch?«

Egger bot ihr seine einzige Sitzgelegenheit, einen selbstgezimmerten Melkhocker, an und platzierte den Kuchen auf seiner alten Vorratskiste, in der er aus heimlicher Angst vor schlechten Zeiten einige Konservendosen – *Haggemeyers feinstes Zwiebelfleisch* – und ein Paar warmer Schuhe aufbewahrte. »So ein Kuchen ist ja oft recht trocken«, sagte er, und während er sich mit seinem Tonkrug in der Hand auf den Weg zum Dorfplatzbrunnen machte, dachte er an diese Frau, die jetzt gerade in seinem Zimmer saß und darauf wartete, den Kuchen anzuschneiden. Er dachte, sie könnte ungefähr in seinem Alter sein, aber die vielen Jahre als Lehrerin hatten ihr sichtbar zugesetzt. Ihr Gesicht war übersät von winzigen Falten und unter ihrem dunklen, zu einem festen Knoten gebundenen Haar schimmerte der Ansatz schneeweiß hervor. Für einen Moment drängte sich ihm ein merkwürdiges Bild auf: Er sah sie nicht einfach nur wartend auf seinem Hocker sitzen, sondern hatte die Vorstellung, ihre bloße Anwesenheit habe den Raum, den er seit so vielen Jahren alleine bewohnte, verändert, vergrößert, auf irgendeine unangenehme Weise nach allen Seiten hin geöffnet.

»Hier leben Sie also«, sagte die Lehrerin, als er mit dem gefüllten Wasserkrug zurückkam.

»Ja«, sagte er.

»Man kann schließlich überall glücklich werden«, sagte sie. Sie hatte dunkelbraune Augen und einen warmen, freundlichen Blick, dennoch war es Egger unangenehm, von ihr angeschaut zu werden. Er sah auf sein Kuchenstück hinunter, drückte mit dem Zeigefinger eine Rosine heraus und ließ sie unauffällig auf den Boden fallen. Dann aßen sie und er musste zugeben, dass der Kuchen gut war. Wahrscheinlich, dachte er, war dieser Kuchen sogar besser als alles, was er in den letzten Jahren gegessen hatte. Doch das behielt er lieber für sich.

Später hätte Egger nicht mehr sagen können, wie diese ganze Angelegenheit ihren Fortlauf genommen hatte. So selbstverständlich, wie die Lehrerin Anna Holler mit dem Kuchen in den Händen vor seiner Tür gestanden hatte, so selbstverständlich war sie in sein Leben getreten und beanspruchte dort binnen kürzester Zeit den Raum, von dem sie offenbar annahm, dass er ihr zustand. Egger wusste nicht so richtig, wie ihm geschah, außerdem wollte er nicht unhöflich sein, also ging er mit ihr spazieren oder saß neben ihr in der Sonne und trank den Kaffee, den sie stets in einer Thermosflasche mitbrachte und von dem sie behauptete, er wäre schwärzer als die Seele des Leibhaftigen. Ständig hatte Anna Holler solche Vergleiche parat, überhaupt redete sie praktisch ohne Unterbrechung, erzählte vom Unterricht, von den Kindern, von ihrem Leben, von diesem einen Mann, der längst schon dort war, wo er auch hingehörte, und dem sie nie, nie,

nie hätte vertrauen sollen. Manchmal sagte sie etwas, das Egger nicht verstand. Sie verwendete Worte, die er noch nie gehört hatte und von denen er insgeheim annahm, dass sie sie einfach erfand, wenn ihr die eigentlich richtigen Worte ausgegangen waren. Er ließ sie reden. Er hörte zu, nickte hin und wieder, sagte manchmal ja oder nein und trank den Kaffee, der sein Herz zum Rasen brachte, als würde er die Nordflanke des Hohen Kämmerers besteigen.

Eines Tages überredete sie ihn, mit der Blauen Liesl zum Karleitnergipfel hinaufzufahren. Von dort oben könne man das Dorf in seiner Gesamtheit überschauen, sagte sie, die Schule sähe aus wie eine verlorene Zündholzschachtel, und wenn man die Augen zukneife, könne man die Kinder am Dorfbrunnen als bunte Pünktchen erkennen.

Als die Gondel mit einem leichten Ruck losfuhr, stellte Egger sich an eines der Fenster. Er spürte, wie die Lehrerin dicht hinter ihn trat und ihm über die Schulter blickte. Er dachte daran, dass er seine Jacke seit Jahren nicht mehr gewaschen hatte. Wenigstens hatte er letzte Woche seine Hose für eine halbe Stunde ins klare Quellwasser gehängt und sie anschließend auf einem sonnigen Felsen getrocknet.

»Sehen Sie den Träger dort unten?«, fragte er. »Als wir das Fundament gegossen haben, ist einer da hineingefallen. Hat am Vortag zu viel gesoffen und ist zu Mittag umgekippt. Einfach mit dem Gesicht voran in den Beton. Ist dagelegen und hat sich nicht mehr gerührt. Wie ein toter Fisch im Teich. Es hat eine Weile gedauert, bis wir ihn rausgekriegt haben, der Beton war nicht mehr ganz so flüssig. Aber er hat es geschafft. Nur auf einem Auge ist er seitdem blind. Ob vom Beton oder vom Krauterer, lässt sich schwer sagen.«

Oben angekommen, standen sie eine Weile auf der Plattform und sahen ins Tal hinunter. Egger hatte das Gefühl, er müsse die Lehrerin irgendwie unterhalten, und zeigte auf verschiedene Dinge im Dorf: auf die Reste eines abgebrannten Viehstalles, auf die über einem Rübenacker eilig errichtete Ferienwohnungsanlage, auf den riesigen, vom Rost und vom purpurroten Ginster überwucherten Kessel, den die Gebirgsjäger nach Kriegsende hinter der Kapelle stehengelassen hatten und den seitdem die Kinder für ihre Versteckspiele nutzten. Anna Holler lachte jedes Mal auf, wenn sie etwas Neues entdeckte. Manchmal wurde ihr Lachen vollkommen vom Wind verschluckt, so dass es aussah, als würde sie einfach nur lautlos vor sich hin strahlen.

Als sie am frühen Abend wieder an der Talstation ankamen, standen sie noch ein Weilchen nebeneinander und sahen zu, wie sich die Gondel erneut auf ihren Weg nach oben machte. Egger wusste nicht, was er sagen sollte oder ob er überhaupt etwas sagen sollte, also hielt er lieber den Mund. Aus dem Maschinenraum im Untergeschoss des Gebäudes drang das gedämpfte Surren der Motoren. Er spürte den Blick der Lehrerin auf sich gerichtet. »Ich möchte, dass Sie mich jetzt nach Hause bringen«, sagte sie und ging los.

Sie bewohnte ein kleines Zimmer direkt hinter dem Rathaus, das ihr die Gemeindc für die Zeit ihrer Schulvertretung zur Verfügung gestellt hatte. Auf einem Teller hatte sie ein paar mit Zwiebeln belegte Schmalzbrote vorbereitet und draußen auf dem Fensterbrett standen zwei kalte Flaschen Bier. Egger aß die Brote und trank das Bier, dabei bemühte er sich, die Lehrerin nicht anzusehen. »Sie sind ein Mann«, sagte sie. »Ein richtiger Mann mit einem richtigen Appetit, nicht wahr?«

»Kann schon sein«, sagte er und zuckte mit den Schultern.

Draußen wurde es langsam dunkel, sie stand auf und ging ein paar Schritte durch den Raum. Vor einer kleinen Anrichte blieb sie stehen. Egger sah von hinten, wie sie den Kopf senkte, als hätte sie auf den Dielen etwas verloren. Ihre Finger spielten mit dem Saum ihres Rockes. An ihren Absätzen klebten immer noch Erde und Staub. Es war furchtbar still im Zimmer. Es war, als ob sich die Stille, die sich längst aus allen Tälern zurückgezogen hatte, gerade in diesem Augenblick, in diesem kleinen Zimmer, sammelte. Egger räusperte sich. Er stellte seine Flasche ab und beobachtete einen Tropfen, der langsam am Glas hinablief und sich auf der Tischdecke zu einem runden, dunklen Fleck ausbreitete. Vor der Anrichte stand Anna Holler, reglos, mit gesenktem Blick. Sie hob erst den Kopf und dann die Hände.

»Der Mensch ist oft allein in dieser Welt«, sagte sie.

Dann drehte sie sich um. Sie zündete zwei Kerzen an und stellte sie auf den Tisch. Zog die Vorhänge zu. Schob den Riegel vor die Tür.

»Komm jetzt«, sagte sie.

Egger starrte immer noch auf den dunklen Fleck auf der Tischdecke. »Ich bin erst bei einer Frau gelegen«, sagte er.

»Das macht nichts«, sagte die Lehrerin. »Es ist mir recht.«

Später sah Egger die schlafende alte Frau neben sich liegen. Nachdem sie ins Bett gegangen waren, hatte sie ihm ihre Hand auf die Brust gelegt und darunter hatte sein Herz so laut gepocht, dass er meinte, das ganze Zimmer bewege sich. Es hatte nicht funktioniert. Er hatte sich nicht überwinden können. Reglos, wie festgenagelt, hatte er dagelegen und gespürt, wie die Hand auf seiner Brust immer schwerer wurde, bis sie schließlich zwischen seine Rippen sank und direkt auf seinem Herzen lag. Er betrachtete ihren Körper. Sie lag auf der Seite. Ihr Kopf war vom Kissen gerutscht und ihr Haar lag in dünnen Strähnen auf dem Bettlaken. Ihr Gesicht war halb abgewandt. Es wirkte eingefallen und fleischlos. In den vielen Falten schien sich das Licht der Nacht verfangen zu haben, das durch einen schmalen Vorhangschlitz ins Zimmer fiel. Egger schlief ein, und als er wieder aufwachte, lag die Lehrerin zusammengerollt auf der Seite und er konnte ihr vom Kissen gedämpftes Wimmern hören. Eine Weile blieb er unschlüssig neben ihr liegen, doch dann wusste er, dass es nichts auf dieser Welt gab, was sich da noch machen ließ. Er stand leise auf und ging.

Noch im selben Jahr kam ein neuer Lehrer ins Dorf, ein junger Mann mit bubenhaftem Gesicht und schulterlangen, zu einem Zöpfchen zusammengebundenen Haaren, der seine Abende damit verbrachte, Pullover zu stricken und aus Wurzeln kleine, verdrehte Kruzifixe zu schnitzen. Die Ruhe und die Disziplin der alten Tage kehrten nie wieder in die Schule zurück und Egger gewöhnte sich an den Lärm hinter seiner Schlafzimmerwand. Die Lehrerin Anna Holler sah er nur ein einziges Mal wieder. Sie ging mit einem Einkaufskorb über den Dorfplatz. Sie ging langsam und mit unnatürlich kleinen Schritten, hatte den Kopf gesenkt und schien völlig in Gedanken versunken zu sein. Als sie Egger entdeckte, hob sie die Hand und winkte ihm mit den Fingern, so wie man einem kleinen Kind winkt. Egger blickte schnell zu Boden. Hinterher schämte er sich für diesen Moment der Feigheit. Anna Holler verließ das Dorf so leise und unauffällig, wie sie gekommen war. An einem kalten Morgen bestieg sie noch vor Sonnenaufgang mit zwei Koffern den Postbus, setzte sich in die letzte Reihe und schloss die Augen, die sie, wie der Fahrer nachher erzählte, während der ganzen Fahrt kein einziges Mal wieder öffnete.

In jenem Herbst hatte es früh zu schneien begonnen. Nur wenige Wochen nach Anna Hollers Abreise bildeten die Skifahrer schon lange Schlangen vor den Talstationen und bis spät in die Abende hinein waren überall im Dorf das metallische Klicken der Skibindungen und das Knarren der Skischuhe zu hören. An einem kalten, sonnenklaren Tag kurz vor Weihnachten war Egger nach einem Schneespaziergang mit einigen älteren Herrschaften auf dem Weg nach Hause, als ihm auf der gegenüberliegenden Straßenseite ein Trupp aufgeregter Touristen, gefolgt von einigen Einheimischen, dem Dorfgendarm und einer Schar durcheinanderkreischender Kinder entgegenkam. Zwei junge Männer in Skianzügen hatten ihre Skier zu einer Art Trage umfunktioniert, auf der etwas lag, das offenbar nur mit allergrößter Vorsicht zu transportieren war. Die Männer behandelten dieses Etwas mit einer merkwürdigen Ehrfurcht, die Egger an den Eifer erinnerte, mit dem die Ministranten beim sonntäglichen Gottesdienst um den Altar herumschlichen. Er überquerte die Straße, um sich das Spektakel genauer anzusehen, und was er sah, ließ ihm den Atem stocken. Auf der provisorischen Trage lag der Hörnerhannes.

Für einen Augenblick dachte Egger, er hätte den Verstand verloren, doch es gab keinen Zweifel: Vor ihm lag der Ziegenhirte beziehungsweise das, was von ihm übrig war. Sein Körper war stocksteif gefroren. Soweit man erkennen konnte, fehlte ein Bein, während das andere in grotesker Verrenkung über die Trage hinausragte. Seine Arme waren eng um seine Brust geschlungen, an den Händen hingen vertrocknete Fleischfetzen und die fast vollständig freiliegenden Fingerknochen waren gekrümmt wie Vogelkrallen. Der Kopf war weit in den Nacken gebeugt, so als hätte ihn jemand mit Gewalt nach hinten gerissen. Das Eis hatte ihm das halbe Gesicht vom Knochen gezogen. Sein Gebiss mit dem blauschwarzen Zahnfleisch war freigelegt und es sah aus, als ob er grinste. Obwohl beide Lider fehlten, waren die Augen völlig unversehrt und schienen weit aufgerissen in den Himmel zu starren.

Egger wandte sich ab, ging ein paar Schritte, blieb wieder stehen. Ihm war übel und in seinen Ohren war ein dunkles Rauschen. Er wollte den Männern gerne etwas sagen – aber was? In seinem Kopf tanzten die Gedanken. Er bekam keinen zu fassen, und als er sich wieder umdrehte, waren sie längst weitergegangen. Weit hinten auf der Straße gingen sie mit ihrer eiskalten Last in Richtung Kapelle. An einer Seite ging der Gendarm. An der anderen Seite ragte wie eine dürre Wurzel das Bein des Ziegenhirten in die Luft.

Ein paar abenteuerlustige Skiwanderer hatten den Hörnerhannes oberhalb der befahrenen Pisten in einer Spalte des Ferneis-Gletschers gefunden. Sie brauchten Stunden, um ihn aus dem ewigen Eis zu hacken. Die Enge der Spalte hatte Vögel und andere Tiere weitestgehend abgehalten und das Eis hatte seinen Körper über die Jahrzehnte konserviert. Nur das Bein fehlte. Die Männer spekulierten: Vielleicht wurde es von einem Tier erwischt, noch bevor er in die Spalte gerutscht war; vielleicht hatte es ihm ein Felsen abgeschlagen; vielleicht hatte er es in einem Akt der Verzweiflung selbst abgetrennt, um sich zu befreien. Das Rätsel ließ sich nicht lösen, das Bein blieb verschwunden und der Stumpf verriet nichts. Er war einfach nur ein Stumpf, von einer zarten Eisschicht bedeckt, an den Rändern leicht ausgefranst und in der Mitte blauschwarz wie das Zahnfleisch des Ziegenhirten.

Der Tote wurde in die Kapelle gebracht, damit sich jeder, der wollte, von ihm verabschieden konnte. Aber außer einigen Touristen, die die geheimnisvolle, im Kerzenlicht aufgebahrte Eisleiche mit eigenen Augen betrachten und möglichst von allen Blickwinkeln abfotografieren wollten, kam niemand. Niemand kannte den Hörnerhannes, niemand konnte sich an ihn erinnern, und da die Wetterberichte steigende Temperaturen ankündigten, begrub man ihn schon am nächsten Tag.

Die unerwartete Begegnung hatte Egger erschüttert. Fast ein ganzes Leben lag zwischen dem Verschwinden des Hörnerhannes und seinem erneuten Auftauchen. Vor seinem inneren Auge sah er, wie sich die durchscheinende Gestalt mit großen Sprüngen entfernte und in der weißen Stille des Schneegestöbers verschwand. Wie hatte er es bis zu dem kilometerweit entfernten Gletscher geschafft? Was hatte er dort gesucht? Und was mochte ihm letztendlich zugestoßen sein? Egger schauderte es bei dem Gedanken an das Bein, das wahrscheinlich noch irgendwo im Gletscher steckte. Vielleicht würde es in ein paar Jahren ebenfalls gefunden und als absonderliche Trophäe auf den Schultern aufgeregter Skitouristen ins Tal getragen werden. Dem Hörnerhannes war das alles vermutlich egal. Er lag nun in der Erde statt im Eis und hatte so oder so seine Ruhe. Egger dachte an die ungezählten Toten während seiner Zeit in Russland. Die Grimassen der Leichen im russischen Eis waren das Schrecklichste, was er in seinem Leben gesehen hatte. Im Gegensatz dazu wirkte der Hörnerhannes auf merkwürdige Weise glücklich. Er hatte in seinem letzten Stündlein dem Himmel entgegengelacht, dachte Egger, und dem Teufel sein Bein als Pfand in den Rachen geworfen. Diese Vorstellung gefiel ihm, sie hatte etwas Tröstliches.

Doch da war noch ein anderer Gedanke, der ihn beschäftigte: Der gefrorene Ziegenhirt hatte ihn wie durch ein Fenster in der Zeit angesehen. Im Ausdruck seines himmelwärts gerichteten Gesichts lag etwas geradezu Jugendliches. Damals, als Egger ihn todkrank in seiner Hütte gefunden und auf der Holzkraxe ins Tal getragen hatte, mochte er an die vierzig oder fünfzig Jahre alt gewesen sein. Egger hatte mittlerweile die siebzig weit überschritten und fühlte sich kein bisschen jünger. Das Leben und die Arbeit am Berg hatten ihre Spuren hinterlassen. Alles an ihm war krumm und schief. Sein Rücken schien in einem engen Bogen der Erde zuzustreben und immer öfter hatte er das Gefühl, seine Wirbelsäule wachse ihm über den Kopf. Zwar war sein Stand am Berg immer noch fest und nicht einmal die kräftigen Fallwinde im Herbst konnten ihn aus dem Gleichgewicht bringen. Aber er stand da wie ein Baum, der in seinem Inneren schon morsch war.

***

In seinen letzten Jahren nahm Egger keine der ohnehin seltener werdenden Aufträge mehr an. Er fand, dass er in seinem Leben genug geschuftet hatte. Außerdem konnte er das Geschwätz der Touristen und ihre wie das Bergwetter ständig wechselnden Launen immer schlechter ertragen. Nachdem er einmal beinahe einen jungen Städter geohrfeigt hatte, der sich vor lauter Glück auf einem Felsen stehend mit geschlossenen Augen so lange um seine eigene Achse drehte, bis er auf das darunterliegende Schotterfeld stürzte und von Egger und dem Rest der Gruppe schluchzend wie ein kleines Kind ins Tal getragen werden musste, beendete er seine Karriere als Bergführer und zog sich ins Privatleben zurück.

Die Einwohnerzahl des Dorfes war seit dem Krieg auf das Dreifache angewachsen und die Menge der Fremdenbetten hatte sich fast verzehnfacht, was die Gemeinde veranlasste, neben dem Bau eines Ferienzentrums mitsamt Hallenbad und Kurgarten auch die längst überfällige Vergrößerung des Schulgebäudes umzusetzen. Noch vor dem Anrücken der Bauarbeiter zog Egger aus. Er packte seine wenigen Habseligkeiten und zog in einen schon vor Jahrzehnten aufgegebenen Viehstall einige hundert Meter oberhalb des hinteren Dorfausganges. Der Stall war höhlenartig in den Hang hineingearbeitet, was den Vorteil hatte, dass die Temperaturen ganzjährig keinen großen Schwankungen unterlagen. Die Vorderseite bestand aus einer Aufschichtung verwitterter Feldsteine, deren Löcher Egger erst mit Moos und danach mit Zement stopfte. Er dichtete die Ritzen in der Tür ab, strich das Holz mit Kiefernteer und kratzte den Rost von den Scharnieren. Dann brach er zwei Steine aus der Wand und setzte stattdessen ein Fenster und ein Rohr für den rußschwarzen Ofen ein, den er auf einem Schrotthaufen hinter der Talstation des Sesselliftes zum Bubenkogel gefunden hatte. Er fühlte sich wohl in seinem neuen Zuhause. Manchmal war es etwas einsam hier oben, aber er betrachtete seine Einsamkeit nicht als Makel. Er hatte niemanden, doch er hatte alles, was er brauchte, und das war genug. Der Blick aus dem Fenster war weit, der Ofen war warm und spätestens nach dem ersten durchgeheizten Winter würde sich auch der penetrante Geruch nach Ziegen und Vieh endgültig verzogen haben. Egger genoss vor allem die Ruhe. Der Lärm, von dem mittlerweile das ganze Tal erfüllt war und der an Wochenenden in Wellen an den Berghängen aufbrandete, drang nur als leise Ahnung zu ihm herein. In manchen Sommernächten, wenn die Wolken schwer an den Bergen hingen und die Luft nach Regen roch, lag er auf seiner Matratze und lauschte den Geräuschen der Tiere, die sich über seinem Kopf durch die Erde wühlten; im Winter hörte er abends das dumpfe Brummen der Pistenraupen, die in der Ferne die Abfahrten für den nächsten Tag vorbereiteten. Er dachte nun wieder öfter an Marie. An das, was war, und an das, was hätte sein können. Aber das waren nur kurze, flüchtige Gedanken, die so schnell vorbeizogen wie die Fetzen der Sturmwolken vor seinem Fenster.

Da sonst keiner da war, mit dem er reden konnte, sprach er mit sich selbst oder mit den Dingen, die ihn umgaben. Er sagte: »Du taugst nichts. Du bist zu stumpf. Ich werde dich an einem Stein schleifen. Und dann werde ich ins Dorf hinuntergehen und ein feines Schmirgelpapier kaufen und dich noch einmal schleifen. Und ich werde deinen Griff mit Leder umwickeln. Du wirst gut in der Hand liegen. Und du wirst gut aussehen, obwohl es darum gar nicht geht, verstanden?«

Oder er sagte: »Man wird ja trübselig bei dem Wetter. Nichts als Nebel. Da verrutscht einem ja der Blick, weil er nicht weiß, wo er sich dranhängen soll. Wenn das so weitergeht, wird mir der Nebel bald ins Zimmer kriechen und über dem Tisch wird es ganz fein zu nieseln beginnen.«

Und er sagte: »Bald kommt der Frühling. Die Vögel haben ihn schon gesehen. In den Knochen regt sich was. Und tief unterm Schnee platzen schon die Zwiebeln.«

Manchmal musste Egger über sich und seine eigenen Gedanken lachen. Dann saß er alleine an seinem Tisch, blickte durchs Fenster auf die Berge, über die still die Wolkenschatten zogen, und lachte, bis ihm die Tränen kamen.

Einmal in der Woche ging er ins Dorf hinunter, um Zündhölzer und Malerfarbe oder Brot, Zwiebeln und Butter zu besorgen. Er hatte längst mitbekommen, dass sich die Leute so ihre Gedanken über ihn machten. Wenn er sich mit den Einkäufen auf seinem selbstgebauten, im Frühling mit kleinen Gummirädern aufgerüsteten Schlitten wieder auf den Heimweg machte, sah er aus den Augenwinkeln, wie sie hinter seinem Rücken ihre Köpfe zusammensteckten und zu tuscheln begannen. Dann drehte er sich um und warf ihnen den bösesten Blick zu, dessen er fähig war. Doch in Wahrheit waren ihm die Ansichten und Empörungen der Dörfler ziemlich egal. Für sie war er nur ein alter Mann, der in einem Erdloch wohnte, Selbstgespräche führte und sich morgens zum Waschen an einen eiskalten Bergbach hockte. Für seine Begriffe jedoch hatte er es irgendwie geschafft und dementsprechend allen Grund, zufrieden zu sein. Von dem Geld aus seiner Zeit als Fremdenführer würde er noch eine Weile gut leben können, er hatte ein Dach über dem Kopf, schlief in seinem eigenen Bett, und wenn er sich mit seinem kleinen Hocker vor die Tür setzte, konnte er den Blick so lange schweifen lassen, bis ihm die Augen zufielen und das Kinn auf die Brust kippte. Wie alle Menschen hatte auch er während seines Lebens Vorstellungen und Träume in sich getragen. Manches davon hatte er sich selbst erfüllt, manches war ihm geschenkt worden. Vieles war unerreichbar geblieben oder war ihm, kaum erreicht, wieder aus den Händen gerissen worden. Aber er war immer noch da. Und wenn er in den Tagen nach der ersten Schneeschmelze morgens über die taunasse Wiese vor seiner Hütte ging und sich auf einen der verstreuten Flachfelsen legte, in seinem Rücken den kühlen Stein und im Gesicht die ersten warmen Sonnenstrahlen, dann hatte er das Gefühl, dass vieles doch gar nicht so schlecht gelaufen war.

Es war auch zu dieser Zeit, der Zeit nach der Schneeschmelze, wenn in den frühen Morgenstunden die Erde dampfte und die Tiere aus ihren Löchern und Höhlen krochen, dass Andreas Egger der Kalten Frau begegnete. Er hatte sich stundenlang schlaflos auf der Matratze hin und her gewälzt; später lag er ruhig da, die Arme vor seiner Brust verschränkt, und lauschte den Geräuschen der Nacht. Dem ruhelosen Wind, der um die Hütte strich und mit dumpfen Schlägen gegen das Fenster stieß. Dann war es plötzlich still. Egger zündete eine Kerze an und starrte auf die flackernden Schatten an der Decke. Er machte die Kerze wieder aus. Eine Weile lag er bewegungslos da. Schließlich stand er auf und ging hinaus. Die Welt war versunken in einem undurchdringlichen Nebel. Noch war es Nacht, aber irgendwo hinter dieser weichen Stille graute schon der Morgen und die Luft schimmerte wie Milch in der Dunkelheit. Egger ging ein paar Schritte den Hang hinauf. Er konnte kaum die Umrisse seiner Hand vor Augen sehen, und wenn er sie ausstreckte, sah es aus, als wäre sie in einer tiefen, unergründlichen Wasserfläche untergetaucht. Er ging weiter, vorsichtig, Schritt für Schritt, ein paar hundert Meter den Berg hinauf. Von weit her hörte er einen Ton, wie das langgezogene Pfeifen eines Murmeltieres. Er blieb stehen und hob den Blick. In einem Nebelloch stand der Mond, weiß und nackt. Plötzlich spürte er einen Lufthauch im Gesicht. Und im nächsten Augenblick war der Wind wieder da. Er kam in einzelnen Stößen, zerzupfte den Nebel und trieb ihn in Fetzen auseinander. Egger hörte das Heulen des Windes, wenn er um die höher gelegenen Felsen strich, und das Wispern im Gras zu seinen Füßen. Er ging weiter durch die Nebelschlieren, die wie Lebewesen vor ihm auseinanderstoben. Er sah, wie sich der Himmel öffnete. Er sah die flachen Felsen, auf denen Schneereste lagen, als hätte jemand weiße Tischtücher ausgebreitet. Und dann sah er die Kalte Frau, wie sie etwa dreißig Meter über ihm den Hang überquerte. Ihre Gestalt war völlig weiß, so dass er sie im ersten Moment für eine Nebelschwade hielt. Doch gleich darauf erkannte er deutlich ihre bleichen Arme. Das Tuch, das fadenscheinig um ihre Schultern hing. Und ihr Haar, wie ein Schatten über dem Weiß ihres Körpers. Ein Schauder lief ihm über den Rücken. Jetzt auf einmal spürte er die Kälte. Aber es war nicht die Luft, die so kalt war. Die Kälte kam aus seinem Inneren. Sie saß tief in seinem Herzen und war das Entsetzen. Die Gestalt bewegte sich auf eine schmale Felsformation zu, und obwohl sie schnell vorankam, konnte Egger keine Schritte erkennen. Es war, als ob sie durch einen verborgenen Mechanismus von den Felsen angezogen wurde. Er wagte nicht, sich zu rühren. Das Entsetzen saß in seinem Herzen, doch merkwürdigerweise hatte er gleichzeitig Angst, er könnte die Gestalt durch ein Geräusch oder eine unbedachte Bewegung vertreiben. Er sah, wie der Wind sich in ihren Haaren verfing und sie für einen kurzen Augenblick aus ihrem Nacken wehte. Und da wusste er alles. »Dreh dich um«, sagte er. »Bitte dreh dich um und schau mich an!« Aber die Gestalt entfernte sich weiter und Egger sah nur ihren Nacken, auf dem die rötliche Mondsichel ihrer Narbe schimmerte. »Wo warst du denn so lange?«, rief er. »Es gibt doch so viel zu erzählen. Du würdest es nicht glauben, Marie! Dieses ganze, lange Leben!« Sie drehte sich nicht um. Sie antwortete nicht. Nur das Geräusch des Windes war zu hören, das Heulen und Seufzen, wenn er über den Boden strich und den letzten Schnee des Jahres mit sich nahm.

Egger stand alleine am Berg. Lange stand er da und rührte sich nicht, während sich um ihn langsam die Schatten der Nacht zurückzogen. Als er sich endlich bewegte, blitzte hinter den weit entfernten Gebirgsketten die Sonne hervor und übergoss die Gipfel mit ihrem Licht, so weich und schön, dass er, wäre er nicht so müde und verwirrt gewesen, hätte lachen können vor reinem Glück.

In den Wochen danach durchstreifte Egger immer wieder die felsigen Hänge oberhalb seiner Behausung, doch die Kalte Frau oder Marie, oder wer auch immer diese Erscheinung gewesen sein mochte, zeigte sich ihm nie wieder, und nach und nach verblasste ihr Bild, bis es sich schließlich ganz auflöste. Überhaupt wurde Egger vergesslich. Es kam vor, dass er nach dem Aufstehen über eine Stunde nach seinen Schuhen suchte, die er am Abend zuvor zum Trocknen ans Ofenrohr gehängt hatte. Oder er geriet beim Nachdenken darüber, was er sich denn eigentlich zum Abendessen hatte kochen wollen, in eine Art grüblerischer Träumerei, die ihn so sehr ermüdete, dass er, oft noch am Tisch sitzend, den Kopf in beide Hände gestützt, einschlief, ohne einen Bissen gegessen zu haben. Manchmal stellte er vor dem Schlafengehen seinen Hocker ans Fenster, blickte hinaus und hoffte darauf, dass vor dem Hintergrund der Nacht einzelne Erinnerungen auftauchten, die wenigstens ein bisschen Ordnung in seinen verworrenen Geist brächten. Aber immer häufiger verrutschte ihm die Zeitfolge der Ereignisse, die Dinge purzelten durcheinander, und sobald sich vor seinem inneren Auge ein Bild zusammenzufügen schien, entglitt es ihm wieder oder zerrann wie Schmieröl auf heißem Eisen.

Spätestens seitdem ihn an einem frostigen Wintermorgen ein paar Skifahrer splitternackt vor seine Hütte treten sahen, wo er barfuß im Schnee herumstapfte und versuchte, eine Bierflasche wiederzufinden, die er am Vorabend zum Kühlen im Freien deponiert hatte, hielten einige der Leute aus dem Dorf den alten Egger für vollständig verrückt. Das störte ihn nicht. Er wusste um seine zunehmende Verwirrtheit, aber er war nicht verrückt. Außerdem gab er zu dieser Zeit kaum noch etwas auf die Meinung der anderen, und da die Flasche auch tatsächlich nach kurzem Suchen wieder auftauchte (und zwar gleich neben der Regenrinne, sie war im Nachtfrost geplatzt und er konnte das Bier lutschen wie ein Eis am Stiel), sah er sich zumindest an diesem einen Tag mit stiller Genugtuung in seinem Denken und Tun bestätigt.

Laut der Geburtsurkunde, die seiner Ansicht nach allerdings noch nicht einmal ihre eigene Stempeltinte wert war, wurde Egger neunundsiebzig Jahre alt. Er hatte länger durchgehalten, als er selbst je für möglich gehalten hätte, und konnte im Großen und Ganzen zufrieden sein. Er hatte seine Kindheit, einen Krieg und eine Lawine überlebt. Er war sich nie zu schade für die Arbeit gewesen, hatte eine unübersichtliche Anzahl von Löchern in den Fels gesprengt und wahrscheinlich genug Bäume geschlagen, um mit ihrem Holz einen Winter lang die Öfen einer ganzen Kleinstadt zu befeuern. Er hatte oft und oft sein Leben an einen Faden zwischen Himmel und Erde gehängt und in seinen letzten Jahren als Fremdenführer hatte er mehr über die Menschen erfahren, als er begreifen konnte. Soweit er wusste, hatte er keine nennenswerte Schuld auf sich geladen, und er war den Verlockungen der Welt, der Sauferei, der Hurerei und der Völlerei, nie verfallen. Er hatte ein Haus gebaut, hatte in unzähligen Betten, in Ställen, auf Laderampen und ein paar Nächte sogar in einer russischen Holzkiste geschlafen. Er hatte geliebt. Und er hatte eine Ahnung davon bekommen, wohin die Liebe führen konnte. Er hatte gesehen, wie ein paar Männer auf dem Mond herumspazierten. Er war nie in die Verlegenheit gekommen, an Gott zu glauben, und der Tod machte ihm keine Angst. Er konnte sich nicht erinnern, wo er hergekommen war, und letztendlich wusste er nicht, wohin er gehen würde. Doch auf die Zeit dazwischen, auf sein Leben, konnte er ohne Bedauern zurückblicken, mit einem abgerissenen Lachen und einem einzigen, großen Staunen.

Andreas Egger starb in einer Nacht im Februar, und zwar nicht irgendwo im Freien, wie er es sich oft vorgestellt hatte, mit der Sonne im Nacken oder dem Sternenhimmel über der Stirn, sondern bei sich zu Hause, an seinem Tisch. Die Kerzen waren ihm ausgegangen und er saß im spärlichen Licht des Mondes, der in dem kleinen Fensterviereck stand wie eine von Staub und Spinnweben trüb gewordene Glühbirne. Er dachte an die Dinge, die er sich für die nächsten Tage vorgenommen hatte: ein paar Kerzen kaufen, den zugigen Riss im Fensterrahmen abdichten, vor der Hütte einen knietiefen und mindestens dreißig Zentimeter breiten Graben ausheben, um das Schmelzwasser abzuleiten. Das Wetter würde mitmachen, so viel konnte er mit ziemlicher Sicherheit sagen. Wenn sein Bein am Vorabend Ruhe gab, hielt am nächsten Tag meistens auch das Wetter still. Ein freundliches Gefühl überkam ihn bei dem Gedanken an sein Bein, an dieses morsche Stück Holz, das ihn so lange durch die Welt getragen hatte. Gleichzeitig wusste er nicht mehr, ob er das jetzt noch dachte oder ob er schon träumte. Er hörte ein Geräusch, ganz nah an seinem Ohr. Ein sanftes Wispern, so als spräche jemand zu einem kleinen Kind. »Es ist doch schon spät«, hörte er sich selbst sagen und es war, als schwebten seine eigenen Worte einige Augenblicke vor ihm in der Luft, ehe sie im Licht des kleinen Mondes im Fenster zerplatzten. Er spürte einen hellen Schmerz in seiner Brust und sah zu, wie sein Oberkörper langsam nach vorne sank und sein Kopf mit der Wange auf der Tischplatte zu liegen kam. Er hörte sein eigenes

Herz. Und er lauschte der Stille, als es zu schlagen aufhörte. Geduldig wartete er auf den nächsten Herzschlag. Und als keiner mehr kam, ließ er los und starb.

Drei Tage später fand ihn der Briefträger, der ans Fenster klopfte, um das Gemeindeblatt zu überbringen. Eggers Leiche hatte sich bei den winterlichen Temperaturen gut gehalten und es sah aus, als ob er beim Frühstück eingeschlafen wäre. Das Begräbnis fand am darauffolgenden Tag statt. Die Zeremonie war kurz. Der Gemeindepfarrer fror in der Kälte, während die Totengräber den Sarg in das Loch hinunterließen, das sie zuvor mit einem kleinen Bagger im gefrorenen Boden ausgehoben hatten. Andreas Egger liegt neben seiner Frau Marie. Auf seinem Grab steht ein grob behauener, von Rissen durchzogener Kalkstein, auf dem im Sommer das blassviolette Leinkraut wächst.

An einem Morgen nicht ganz sechs Monate vor seinem Tod war Egger mit einer inneren Unruhe aufgewacht, die ihn schon mit dem ersten Blinzeln aus dem Bett und ins Freie getrieben hatte. Es war Anfang September und dort, wo die Sonnenstrahlen durch die Wolkendecke stachen, konnte er das Glänzen und Blitzen der Autos der Pendler sehen, die aus irgendwelchen Gründen kein Auskommen im Fremdenverkehr fanden und sich deswegen jeden Morgen auf der Straße auffädelten, um rechtzeitig ihre

Arbeitsplätze jenseits des Tales zu erreichen. Egger gefiel diese bunte Autokette, die sich über die kurze Strecke dahinschlängelte, bis sie schließlich im dunstigen Licht ihre Konturen verlor und verschwand. Gleichzeitig machte ihr Anblick ihn traurig. Er dachte daran, dass er die Gegend – abgesehen von den Fahrten zu den umliegenden Seil- und Sesselbahnanlagen der Firma Bittermann & Söhne – nur ein einziges Mal verlassen hatte, nämlich um in den Krieg zu ziehen. Er dachte daran, wie er einst über diese Straße, damals kaum mehr als ein von tiefen Rinnen durchzogener Feldweg, auf dem Kutschbock eines Pferdewagens zum ersten Mal ins Tal gekommen war. Und in diesem Moment überkam ihn eine so tiefe und brennende Sehnsucht, dass er meinte, es müsse ihm das Herz zergehen. Ohne sich noch einmal umzusehen, lief er los. So schnell er konnte, hinkte, stolperte, rannte er ins Dorf hinunter, wo an der Haltestelle direkt neben dem hoch aufgeschossenen Posthotel der gelbe Autobus der Linie 5, der sogenannten Siebentälerlinie, mit laufendem Motor zur Abfahrt bereitstand. »Wo soll es hingehen?«, fragte der Fahrer, ohne aufzublicken. Egger kannte den Mann, er hatte in der Skiwerkstatt der ehemaligen Schmiede für einige Jahre als Bindungsmonteur gearbeitet, ehe ihm die Arthritis die Gelenke verkrümmte und er bei der Busgesellschaft unterkam. In seinen Händen wirkte das Lenkrad wie ein schmaler Spielzeugreifen.

»Bis zur Endstation!«, sagte Egger. »Weiter geht es ja nicht.« Er kaufte eine Fahrkarte und setzte sich auf einen freien Platz in den hinteren Reihen, mitten zwischen den müden Menschen aus dem Dorf, die er zum Teil vom Sehen kannte und denen entweder das Geld für ein eigenes Auto fehlte oder die schon zu alt waren, um die Technik und die Geschwindigkeit noch zu begreifen. Sein Herz klopfte wie verrückt, als sich die Türen schlossen und der Bus abfuhr. Er ließ sich in seinen Sitz zurücksinken und schloss die Augen. So blieb er eine Zeit, und als er sich aufsetzte und die Augen wieder öffnete, war das Dorf verschwunden, und er sah die Dinge am Straßenrand vorbeiziehen: kleine, aus den Äckern gestampfte Pensionen. Raststätten. Tankstellenschilder. Reklametafeln. Ein Gasthof mit Bettwäsche in jedem seiner offenen Fenster. Eine Frau am Zaun, eine Hand in die Hüfte gestützt, das Gesicht undeutlich und verschwommen im Zigarettenrauch. Egger versuchte nachzudenken, doch der Strom der Bilder machte ihn müde. Kurz bevor er einschlief, versuchte er, die Sehnsucht, die ihn aus dem Tal getrieben hatte, erneut hervorzurufen. Aber da war nichts mehr. Für einen Augenblick meinte er noch ein leichtes Brennen in der Herzgegend zu spüren, doch das war Einbildung, und als er wieder aufwachte, konnte er sich nicht mehr erinnern, was er wollte und warum er überhaupt in diesem Bus saß.

An der Endstation stieg er aus. Er ging ein paar Schritte über eine von Unkraut bewachsene Betonfläche, dann blieb er stehen. Er wusste nicht, in welche Richtung er gehen sollte. Der Platz, auf dem er stand, die Bänke, das niedrige Stationsgebäude, die Häuser dahinter sagten ihm nichts. Er tat noch einen zögerlichen Schritt und blieb wieder stehen. Es fröstelte ihn. Bei seinem überstürzten Aufbruch hatte er vergessen, eine Jacke überzuziehen. Er hatte nicht daran gedacht, einen Hut aufzusetzen, und er hatte die Hütte nicht abgeschlossen. Er war einfach losgerannt und das bereute er nun. Irgendwo weit weg war Stimmengewirr zu hören, das Rufen eines Kindes, dann das Knallen einer Autotür, das anschwellende und schließlich schnell leiser werdende Geräusch eines Motors. Egger zitterte jetzt so stark, dass er sich gerne irgendwo festgehalten hätte. Er blickte auf den Boden und wagte nicht, sich zu bewegen. Vor seinem inneren Auge sah er sich selbst dort stehen, einen alten Mann, nutzlos und verloren, mitten auf einem leeren Platz, und er schämte sich wie noch nie in seinem Leben. In diesem Moment spürte er eine Hand an seiner Schulter, und als er sich langsam umdrehte, stand der Busfahrer vor ihm.

»Wo wollen Sie denn eigentlich genau hin?«, fragte der Mann. Der alte Egger stand nur da und suchte verzweifelt die Antwort.

»Ich weiß es nicht«, sagte er und schüttelte langsam und immer wieder den Kopf. »Ich weiß es einfach nicht.«

Während der Rückfahrt saß Egger auf demselben Platz, den er sich auch für seinen Aufbruch aus dem Tal ausgesucht hatte. Der Fahrer hatte ihm in den Bus geholfen und ihn, ohne den Fahrpreis zu verlangen oder überhaupt ein weiteres Wort zu sagen, bis nach hinten begleitet. Obwohl Egger diesmal nicht einschlief, kam ihm die Fahrt kürzer vor. Er fühlte sich besser, sein Herz wurde ruhiger, und als der Bus zum ersten Mal in die blauen Schatten der Berge eintauchte, war auch das Zittern wieder verschwunden. Er sah zum Fenster hinaus und wusste nicht so recht, was er denken oder fühlen sollte. Er war so lange nicht weggewesen, dass er vergessen hatte, wie es sich anfühlt, nach Hause zu kommen.

An der Dorfstation verabschiedete er sich mit einem Kopfnicken von dem Fahrer. Eigentlich wollte er so schnell wie möglich nach Hause, doch als er die letzten Häuser hinter sich gelassen hatte und nur mehr der treppenartige Anstieg zu seiner Hütte vor ihm lag, folgte er einer plötzlichen Laune und bog nach links auf einen selten begangenen Steig, der um einen namenlosen, moosgrünen Teich herumführte und sich bis hinauf zur Glöcknerspitze schlängelte. Eine Weile folgte er dem Weg entlang einer Reihe von Drahtzäunen, die die Gemeinde hatte errichten lassen, um das Dorf vor Lawinen zu schützen, dann stieg er durch eine schmale, mit tief in den Felsen getriebenen Kanteisen gesicherte Kluft und überquerte schließlich die im Schatten einer Mulde liegenden Karwiesen. Das Gras glänzte feucht und von der Erde stieg der Geruch von Fäulnis auf. Egger lief schnell, das Gehen fiel ihm leicht, seine Müdigkeit hatte er vergessen und die Kälte spürte er kaum. Er hatte das Gefühl, als ließe er mit jedem Schritt etwas von der Einsamkeit und der Verzweiflung zurück, die ihn dort unten auf dem fremden Platz gepackt hatten. Er hörte sein Blut in den Ohren rauschen und spürte den kühlen Wind, der ihm den Schweiß an der Stirn trocknete. Als er am tiefsten Punkt der Mulde angekommen war, sah er eine kaum merkbare Bewegung in der Luft. Ein kleines weißes Etwas, das direkt vor seinen Augen tanzte. Gleich darauf noch eines. Und im nächsten Moment war die Luft erfüllt von unzähligen winzigen Wolkenfetzen, die langsam schwebend zu Boden sanken. Egger dachte erst, es wären Blüten, die der Wind von irgendwoher getragen hatte, doch es war Ende September und um die Zeit blühte längst nichts mehr, schon gar nicht in dieser Höhe. Und da erkannte er, dass es schneite. Immer dichter fiel der Schnee vom Himmel und senkte sich auf die Felsen und auf die satten, grünen Wiesen. Egger ging weiter. Er achtete genau auf seine Schritte, um nicht auszurutschen, und alle paar Meter wischte er sich mit dem Handrücken die Flocken von Wimpern und Augenbrauen. Dabei stieg eine Erinnerung in ihm hoch, ein kurzer Gedanke an etwas, das sehr lange zurücklag, kaum mehr als ein verwischtes Bild. »Es ist noch nicht so weit«, sagte er leise, und der Winter legte sich übers Tal.